D1282419

HEIMITO VON DODERER

UNTER SCHWARZEN STERNEN

HEIMITO VON DODERER

UNTER SCHWARZEN STERNEN

ERZÄHLUNGEN

BIEDERSTEIN VERLAG MÜNCHEN

Gesamtherstellung: Passavia Passau

UNTER SCHWARZEN STERNEN

1963

Der Oberst, nachdem ich bei ihm mich gemeldet hatte, wies mir einen Sessel neben seinem Schreibtische, und bevor ich noch saß, war zwischen uns alles in Ordnung und eine jener Inseln gebildet, auf denen alter und üblicher Brauch zwischen Offizieren sich hielt, gegen einen anbrandenden hektischen Zustand, welcher den Herren späterhin, nach Juli 1944 nämlich, sogar den militärischen Gruß verbieten sollte, ihn durch eine phantastische Gebärde des rechten Armes ersetzend.

Das Institut, man nannte es ‚Dienststelle' (offenbar vom abscheulichen Zusammenstoß zweier gleicher Doppelkonsonanten wenig gestört), dem ich jetzt, nach einem Jahr an der russischen Front, als Prüfer und Gutachter angehören sollte, war eines von den allerüberflüssigsten der Luftwaffe, was allein daraus bereits hervorgeht, daß man 1943 schrieb und hier Anwärter für die Offizierslaufbahn examinierte, aktiv und Reserve. Die Sache erschien damals als ganz ebenso absurd schon wie heute. Doch sagte das niemand, begreiflicherweise.

Auch ich nicht. Freilich genoß ich bewußt die Vorteile meiner Lage, und ich suchte diese Lage zu befestigen, wie alle anderen auch: ich examinierte die jungen Leute nach verschiedenen Richtungen, sei's Turnen, Redefähigkeit, Aufsatz und anderes noch, ich verfaßte sorgfältig, wenn auch schnell, die Gutachten über die Anwärter (zu welchem Zwecke man jeden zweiten oder dritten Tag ansonst keinen Dienst hatte!), trieb dabei auch ein wenig Pseudopsychologie, und schrieb in die Rubrik ‚Geistig' hinter dieses Wort stets in Klammern das Sätzchen ‚soweit davon die Rede sein kann', sozusagen um wenigstens das Decorum und einen Rest von Anstand zu wahren. Dann und wann einmal machte ich in der Offiziersbesprechung einen Vorschlag zur Verbesserung der Methodik, deren einen der Oberst aufgriff. Alles ‚ut aliquid fecisse videatur'. Ich wohnte zu Wien in meiner eigenen Wohnung und trug außerhalb des Dienstgebäudes nur Zivil. Pax in bello. Wer es versteht und den Weg weiß, der lebt auch in der Hölle behaglich, sagt ein tibetanisches Sprichwort. Die Offiziersmesse und was man dort an Gesprächen hörte, war allerdings erschröcklich. Doch alles lernt sich. Auch gab es hier nicht nur Dummheit, sondern wirkliche und wirksame Meisterstücke der Heuchelei. Nur der Oberst V. war unvorsichtig. Ich bangte oft um ihn, er hatte hier nicht nur Freunde. Übrigens forderte er vier Wochen nach meiner Meldung, vorgreifend der erst nach acht Wochen üblichen Rückfrage des Luftfahrtministeriums, daß meine Kommandierung in eine definitive Versetzung verwandelt werde.

Data ohne Interesse, doch erforderlich um zu verstehen, daß ich damals ein solches Leben führen konnte, wie ich tat, während die Front im Osten, von der ich kam, weiter bestand und dann zusammenbrach: und ich hier, pax in bello, in der Hölle behaglich! Aus den Fenstern meiner sehr hoch gelegenen Wohnung sah ich ins gleiche steinerne Panorama, wie vor alledem, bevor der ganze Schrecken nach Wien gekommen war und wir unser ‚Café Rathaus' in ‚Café Ratlos' umbenannten. Aber jetzt erst war der Ausblick ganz versteint. Ich stand frühzeitlich auf am Morgen und saß im Zivilanzug an meinem Arbeitstische. Gestern war ‚geprüft' worden. Heute: ‚Ausarbeitung der Gutachten'. Man brauchte da nicht vor zehn Uhr im Dienstgebäude zu sein. Tee oder Kaffee war noch gut, ich hatte seinerzeit größeren Vorrat in Frankreich kaufen können, Zigaretten vorhanden. So saß ich denn an diesem Herbstmorgen am Tischlein, und hielt aus allen Kräften fest und giltig, was ich noch heute fest und giltig halte. In dieser Hinsicht besteht zwischen den beiden Zeiten kein Unterschied.

Alles andere jedoch ist unbegreiflich geworden. Das ‚Prüfen', die ‚Dienststelle' (wo ich übrigens ein schönes Arbeitszimmer für mich allein hatte, darin ich manches vorwärts bringen konnte), und daß wir dies Theater, welches uns alle durch Jahr und Tag rettete, überhaupt zu betreiben vermochten; am allerunbegreiflichsten aber die Zusammenkünfte bei dem Rechtsanwalte Doktor R.

Das Panorama war endgültig versteint, es gab kein Grün, ja, ein einzelner Baum tief unten in einem Hofe, den ich da immer gesehen hatte: er schien verschwunden. Vielleicht den Luftschutzarbeiten zum Opfer gefallen; überall grub man ja herum, baute auch monströse Flaktürme, verdarb dies und das – wie etwa das schöne Schlößchen Cobenzl, heute noch Ruine, ohne daß ein Geschoss es je getroffen hätte – und im Grunde alles. Wenn schon nicht anders, dann durch jene merkwürdige Versteinung, so daß alle Aura zwischen den Dingen wich, und selbst in den vertrautesten Vorstadtgassen in den Boden sank und verschwand. Auch die alten Häuslein in Heiligenstadt oder Sievering starrten einander quer über die Gassen leblos an, ja sie konterten sich gleichsam gegenseitig, und den, der durch die Gasse ging, noch dazu. Man ward sozusagen nirgends mehr an- und aufgenommen.

Der Rechtsanwalt Dr. R. war im Elternhaus als Student mein Erzieher gewesen, oder ‚Hofmeister', wie man damals zu sagen pflegte. Ein schöner Mann von vielerlei Fähigkeiten, hochdekorierter aber schwerinvalider Offizier des ersten Weltkrieges: so blieb ihm jetzt seine ausgebreitete Praxis erhalten. R. war ein hervorragender Jurist. Später bei seinem Begräbnisse habe ich über die ungeheure Zahl von Menschen gestaunt, welche den Toten geleiteten und solchem Staunen auch Worte verliehen, einem Bekannten gegenüber. Dieser, der nachmalige Präsident des Straflandesgerichtes I in Wien, Hofrat Dr. N., erwiderte trocken: „Was du hier siehst, sind mehrere hundert Jahre nicht abgesessener Freiheitsstrafen."

So war es in der Tat. R. war im vollsten Sinne immer ein Freund der Bedrängten, mochten sie sein wer sie wollten, Industrielle, Ministerialbeamte oder Fleischhauer, und mit ihren Angelegenheiten hatte er stets alle Hände voll zu tun. Auch damals, 1943, was einiges heißen will. Denn dieser Jurist kam ja aus einem Rechts-Staat. Und mit ihm hatte er wesentlich den Boden verloren.

Wie wir alle, übrigens, die bei ihm zusammenkamen. Aber er war ein Meister im Wassertreten (und, was mich betrifft, war ich zur Zeit auf dem besten Wege ein Meister im behaglichen Höllenleben zu werden).

Wie man's denn damals überhaupt machte, daß man morgens noch aufstand, und wieder, und wieder? Emporgehoben und dahintreibend auf einer breiten Woge des Unsinns, obwohl wir es doch wußten und sahen, und um so schlimmer! Aber dieses Wissen allein war es zuletzt, was uns überleben ließ, während viel Bessere als wir verschlungen wurden. Der Krieg, aus dem tiefen Unfrieden eines totalitären Staatsgebildes manifest geworden, mußte damit nicht nur jedem Einsichtigen von vornherein als verloren gelten, vielmehr war eben dies die Voraussetzung unserer Rückkehr aus einer blutigen Blutlosigkeit zur eigentlichen Existenz. Was geschah und ablief, trug daher für uns alle einen zwar alten aber falsch gewordenen Namen, nämlich den des Krieges, wenngleich wir doch wußten, daß es nur der letzte Ab- und Auslauf eines zur Gigantomanie gelangten Un-Sinns war, im wörtlichsten Sinne. So im Nichts gefesselt, bei gehenden Tatsachen, die doch eigentlich keine solchen waren, die man hätte erleben können, da es nur abzuwarten und zu überleben galt, wurde jeder Tag zum schwindligen Raum ohne Halt und Handgriff. Als unausweichliche Folge kam es leicht zu einer Kette von Exzessen, deren Circulus vitiosus nicht abriß, und an welchen sich auch die Vernünftigsten und Mutigsten unter uns beteiligten. Denn auch sie bedurften der Betäubung.

Man ‚prüfte' damals bei der ‚Annahmestelle' noch in Kommission, wobei wir alle nebeneinander hinter Tischen saßen, der Kommandeur Oberst V., neben ihm noch ein Oberst, sodann zwei Oberstleutnants, ein Major, zwei Hauptleute. Ich, als der jüngste und geringste, links-außen. Die Prüflinge im Klassenzimmer uns gegenüber. Das Gebäude hatte einst den Schulbrüdern gehört – und gehört ihnen heute wieder – einer Kongregation, die sich wesentlich dem Unterrichte widmet.

Die halbwüchsigen Burschen hatten ihren Kameraden über irgendein frei gewähltes Thema einen viertelstündigen Vortrag zu halten, und in dieser kurzen Zeit mußte die Sache in den Grundzügen bewältigt sein. An sich war die Methode nicht dumm, denn man konnte doch sehen, wie so ein Mensch stand und ging, redete, die Hände bewegte, sich überhaupt anließ, und schließlich auch, was er wußte (weniger wichtig). Wer freilich fähig und geneigt war dazu, vermochte wohl auch mehr zu erkennen.

Die alten Germanen wurden mit Vorzug behandelt, ob auch immer mit Vorliebe, ist nicht sicher. Einer, nachdem er die altgermanische Gemeinfreiheit geschildert hatte (vom perfekten Kommunismus der germanischen Dorf-Verfassung, wo die Höfe und Gewanne Jahr für Jahr reihum wechselten, sagte er nichts), kam bald auf Karl den Großen zu sprechen (dem's dabei nicht gut erging), und hier war nun auf einmal von Leibeigenen und Halbfreien die Rede.

Der Oberst, am rechten Flügel, der die Lücke wohl merkte, beugte sich ein wenig vor und blickte zu mir herüber.

„Du sagst", bemerkte ich dem Prüfling, es war ein Junge aus Flensburg, von so weit her kam unsere Kundschaft, „die alten Deutschen seien alle freie Männer gewesen. Und nun sprichst du von Leibeigenen. Hier muß inzwischen einiges passiert sein. Kannst du mir sagen, was?" (Wir hatten die Anwärter mit ‚du' anzureden.)

„Jawohl, Herr Hauptmann", rief er und nahm mit Klapp und Knall Haltung an. „Die Äbte hatten die Bauern geknechtet, indem sie ihnen mit der Hölle drohten."

„Woher hast du den Unsinn?" fragte ich.

Was nun kam, erinnerte mich an eine Zeit, da ich eifrig dem Studium der Reptilienkunde obgelegen war. Der dürre blonde Junge mit den starr aufgerissenen blauen Augen versteifte sich und reckte sich mit dem Oberkörper auf wie gewisse Eidechsenarten, wenn sie erschreckt werden. Dann schrie er mich geradezu an, immer noch in strammer Haltung: „Von der H. J., Herr Hauptmann!“ (und meinte damit die ‚Hitler-Jugend‘ genannte Organisation).

„Na servus“, sagte ich, aber mehr nicht.

Der Oberst, in diesem Augenblicke, begann laut zu lachen, über den Buben, über mich, oder über uns beide, ich weiß es nicht. Die anderen Herren lachten, wie üblich, mit, so wie eine Gymnasialklasse lacht, wenn es der Professor tut. Es ist ja das Militär gewissermaßen ein Kinderzimmer der Erwachsenen. Einer der Offiziere winkte dem nordischen Knaben mit dem flammenden Blicke, sich zu setzen. Noch während des Gelächters beugte sich mein Nachbar, der Luftwaffen-Hauptmann (ein ehemals österreichischer Offizier, daher duzte er mich) zu mir und sagte leise aber deutlich:

„Ich mache dich darauf aufmerksam, daß du hier dem Leichenbegängnisse einer Kultur assistierst.“

Das Lachen des Obersten war mir zu unverhohlen gewesen, er hatte herzlich gelacht, als spiele man eine Posse. Ein im Grunde argloser Mann. Für meine Gegenrede hätte ich wohl jeden sachlichen und fachlichen Beweis antreten können. In bezug auf sein Gelächter gab es derlei nicht. Es offenbarte seine Gesinnung weit mehr, als jener Einwand, den ich getan hatte, die meine.

Mir war nach diesem allen nicht wohl zumute. Ob der Vorfall den Anlaß bildete, daß der Oberst nun nicht mehr kommissionell prüfen ließ, sondern einzelweise, ist mir nicht bekannt geworden. Jedenfalls hatte jetzt jeder Offizier die ihm von der Kanzlei zugeteilten Anwärter in seinem Arbeitszimmer allein und gründlich zu examinieren. Daß dieser Umstand für mich noch würde bedeutend werden, konnte ich damals nicht wissen.

Was in der geräumigen Wohnung des Rechtsanwaltes

Dr. R. sich zusammenfand, war nicht nur bunt und gemischt, sondern durcheinander gerüttelt, und so ein volles Maß der Zeit.

Man sah weit aus den Fenstern der mehreren Zimmer, die nebeneinander im dritten Stockwerk an der Front eines Hauses am Favoritenplatze lagen, an dessen geschlossener Schmalseite, mit dem Blicke hoch über einen kleinen Park hinweg auf Viadukt und Geleise der Südbahn: alles das am Abende im Finstern, bis auf die wenigen Lichter des Bahnkörpers. Im mittleren Zimmer stand ein großer Konzertflügel. Es gab unzählige Fauteuils und Diwans, und zwar in allen Räumen.

Wir kamen am späten Nachmittage zusammen. Es muß hier ergänzend bemerkt werden, daß Luftangriffe in Wien damals noch unbekannt waren, was die Wiener zu der kindischen Einbildung verführte, sie seien davon überhaupt ausgenommen und die Verdunklung stelle nur eine Schikane vor.

Jedesmal, wenn ich in diesen Monaten an einem Fenster von R.'s Wohnung stand und zu der Südbahnstrecke hinübersah, die dort ja den Bahnhof eben erst verlassen hatte, traf mich fein, aber durchdringend der Hauch jener früheren Zeit, aus der wir gefallen waren, aus der es uns unversehens hinausgestoßen hatte als aus einer – wie es jetzt erschien – nie, oder nur selten benützten Freiheit. Denn wie oft, fragte ich mich, war man denn schon auf den Semmering gefahren, oder weiter, an die Kärntner Seen und in den Süden? Nun war's erloschen. Man stand bis an die Knöchel wie in Stein. Dort oben am Himmel noch kein Stern sichtbar. Vielleicht waren sie ausgebrannt, starrten wie Kohle.

Die Tür ging hinter mir, Albrecht (so hieß der Dr. R.) kam wieder herein, mit Gästen.

Bevor man Licht machte, ward die Verdunklung herabgerollt.

Es war eine außerordentlich schöne Frau, die jetzt eintrat, doch erschrak ich bei ihrem Anblick darüber, daß sie immer noch hier war; und jedermann in unserem Kreise empfand das wie selbstmörderischen Leichtsinn, um so mehr, als alle Bedingnisse für ihre Abreise geordnet vorlagen. Sie war die Tochter eines ehemaligen k. u. k. Generalstabsarztes. Eine alttestamentarische Schönheit. Mit ihr kam mein Freund, der Stabsarzt und spätere Professor Dr. E., damals ein noch junger Mann. Beide Eintretenden lachten.

Mit solchem Eintritte, mit meiner Anwesenheit bei Albrecht, ferner mit dem Erscheinen eines meiner liebsten Freunde, welcher der sogenannten SS angehörte, sodann eines anderen aus dem Kreise, der gleich sein ‚Unterseeboot' mitbrachte – eine ältere jüdische Dame, die in seiner Wohnung versteckt lebte und ihm das Leben schwer machte – endlich mit der Ankunft eines Opernsängers, der seine Papiere in Ordnung und sein Auslandsengagement in der Tasche hatte, alles auch reichlich verspätet, damit wäre die Spannweite des Kreises hier schon angedeutet. Es kam noch der Dr. med. B., der bei Dr. E. als ‚Unterseeboot' wohnte und durch den erwähnten SS-Mann über die Grenze gebracht ward; er hat später in Amerika reich geheiratet, aber sich um keinen von uns, auch um den Dr. E. nicht, jemals mehr gekümmert (was man am Ende auch verstehen kann). Es erschienen noch der eine oder der andere. Bemerkenswert ist, daß man damals bei Dr. R. auch zwei Leuten begegnen konnte, die später weltberühmt geworden sind. Man hat's ihnen nicht angesehen. Nichts Verhängtes wurde etwa schon manifest. Alles blieb in Suspenso:

auch der Tod des alten weiblichen Unterseebootes bei einem Luftangriffe – sie konnte sich ja nicht in den Keller zu den anderen wagen! – und die Ermordung der schönen Tochter des Generalstabsarztes: sie hatte zu lange gezögert und starb in Theresienstadt.

Man sieht's: Grenzen, die nach 1945 wieder sehr bedeutungsvoll werden sollten, waren gesprengt, echte Notgemeinschaften waren entstanden. Den nach Österreich einmarschierten Deutschen, nicht so sehr den Truppen, als den ihnen nachfolgenden Stellen, Ämtern und Behörden, war es ja gelungen, den Nazismus innerhalb weniger Wochen in allen einigermaßen intelligenten Bevölkerungskreisen radikal auszurotten. Bei uns waren längst alle Grenzen gesprengt. Dereinst sollten sie neu aufgerichtet werden, und mit oft nicht geringem Aufwand an Intelligenz geschieht es da und dort auch heute noch und immer wieder.

Die beiden später prominenten jungen Männer – jetzt trugen sie schäbige Uniformen – traten hinter das Klavier, wo ein schwarzer lackglänzender Cello-Kasten stämmig stand, und nahmen ihre Instrumente hervor. Notenpulte waren schon da. Doktor B. öffnete den Flügel. Kurz danach entfaltete sich, mit dem nachmals so berühmten Goldglanze der beiden Streicher, der erste Satz von Beethovens Klavier-Trio opus 70.

Ich erinnere mich, daß wir dies stehend anhörten. Warum, weiß ich nicht. Niemand nahm Platz; auch keine von den Damen (als dritte hatte einer der Musiker eine pompöse Frau mitgebracht und kurz vor Beginn der Musik war Dr. R.'s sanfte Sekretärin hinzugekommen). Dieses jetzt sehr hell durch einen großen Lüster erleuchtete Zimmer, worinnen das Klavier stand, wirkte merkwürdig kahl, und ich kam, während sie noch spielten, dahinter, warum es so wirkte. Man hatte offenbar die Verdunklungseinrichtung erneuert, noch nicht aber die großen Vorhänge angebracht, welche sonst immer davor zusammengezogen gewesen waren; nun schlugen sich die zwei hoch hinauf reichenden kohlschwarzen Flächen zur Gänze in den Raum, wie ausgebrannte Fenster. Davor standen die Damen und Herren. Der Anfang von opus 70 – ein doch späteres Werk in jenem wilden Leben – ist von äußerster Schlichtheit und Sanftmut, im Duktus und in der Anlage des ganzen ersten Satzes. Mir schien die Zeit still zu stehen. Wir fielen aus ihr heraus, fielen von ihr ab wie dürre Blätter, hatten darin nichts mehr zu schaffen.

Nach Ende des ersten Satzes – mehr wollten sie zunächst nicht spielen – zerstreuten sich alle sofort durch die Zimmerflucht, merkwürdig geräuschlos, und ein ebenso geräuschloses Gelage begann – wobei man zum Teil wirklich auf den Diwans lag – da und dort hin zerstreut, in Gruppen. Mich hatte es neben die pompöse Dame und ins letzte Zimmer verschlagen. Es blieb in der Tat fast ganz still. ‚Ist es denen vielleicht gelungen, aus der Zeit zu steigen?‘ so dachte ich unter der ersten Einwirkung des Alkohols (dem Dr. R. schleppten seine Klienten daher, was er nur wünschte) und: ‚beneidenswert‘. Bald gelang mir ähnliches auf dem angedeuteten Wege und durch die durchaus akzeptable Nachbarschaft der Pompösen.

Plötzlich aber sprangen alle auf und liefen im mittleren Zimmer zusammen. Es hatte geläutet. „Die Gringos, die Gringos!“ rief man voll Freude.

Ein Paar trat ein, dahinter der Hausherr, welcher ihnen die Wohnungstüre geöffnet hatte. Gleich danach konnte ich von jenem Paare nichts mehr sehen. Sie waren umringt. Man schien sie sogar abzuküssen.

Als ich die Gringos wieder erblickte, mußte ich mich durch Albrecht mit ihnen bekannt machen lassen, denn ich war ihnen vordem nie begegnet. Der Eindruck war für mich geradezu überwältigend, und ich hätte bis dahin nicht geglaubt, daß es so etwas geben könne. Ich zog mich sofort zurück, wie um Distanz von diesem Phänomen zu nehmen. Herr und Frau Gringo waren zwei überzeugend gute und liebe, völlig arglose wandelnde Ostereier, und sie sahen zudem einander so ähnlich – nun, wie eben ein Ei dem anderen.

Vier Offiziere traten zusammen, im Arbeitszimmer des Oberstleutnants F. Dieser, im ersten Weltkriege Reserve-Offizier, hatte im zweiten, durch Übertritt in den aktiven Stand, eine so hohe Charge bereits erreicht. Der Übertritt war eine kluge Handlung gewesen. Seine Stellung als Schuldirektor in der Fuldaer Gegend wäre bald unhaltbar geworden. Es genügt hier zu sagen, daß sein Bischof ihm als Laien die Befugnis zum Religionsunterricht erteilt hatte. Solches geschieht nicht allzu häufig. Jetzt befand er sich im Schutze der Wehrmacht und also wie der Prophet Jonas im Bauche des Leviathan statt vor dessen Zähnen.

Es ging um den Obersten. Seine Unvorsichtigkeiten in der Offiziersmesse nahmen zu. Der Oberstleutnant P., ein schwarzschnauzbärtiger, verstockter und kluger Mann, schien ihnen aufmerksamer zu lauschen, als uns gefallen konnte.

Zu dem Oberstleutnant F. hatte ich uneingeschränktes Vertrauen, mit vielem Rechte, wie sich stets erwiesen hat. Ich hatte hier, bei der ‚Einweisung' in meine Dienstobliegenheiten, zunächst unter seiner Leitung gearbeitet und gewissermaßen als sein Assistent. Dann erst ‚prüfte' ich selbständig. F. besaß ein hohes Maß von Routine in allen Sachen des Dienstes, obendrein Schlauheit, und ein deutliches Wohlwollen für mich. Ich dankte ihm schon manchen wertvollen Wink. Die beiden anderen Herren waren jener Luftwaffenhauptmann, der mir die famose Bemerkung vom ‚Leichenbegängnisse einer Kultur' zugeflüstert hatte, und ein Major aus Wien, auch ein Aktivierter, wohl möglich kein eben angenehmer Charakter (ich habe ihn nie näher kennengelernt und besaß sicherlich nicht seine Sympathien), doch zweifellos ein Ehrenmann. Es gab übrigens noch einen zweiten Major hier bei uns, einen ehemaligen aktiven k. u. k. Offizier, ich glaube von der reitenden Artillerie kam er, also von einer ganz exzellenten Truppe, doch trat dieser als Prüfer nicht in Erscheinung. Er war Adjutant des Kommandeurs; er stammte nicht aus Wien, sondern aus Böhmen, und war der einzige von uns, der hier im Hause eine Dienstwohnung hatte. Ein kluger, liebenswürdiger Mann und opportunistischer Schlauberger.

Der Oberstleutnant F. war es, der unsere besorgte Unterredung zu einem konkreten Resultat brachte: „Es gilt, kurz und gut, von diesen verhängnisvollen ‚Lagebesprechungen' wegzukommen. Dabei regt sich der Oberst jedesmal auf. Am besten ist es, wir drängen das Gespräch vom Thema ab, wenn es so weit ist, und notfalls, meine Herren, muß jeder von uns es auf sich nehmen, dem Oberst dreinzureden und ins Wort zu fallen: am besten sogar reden wir zu zweit und zu dritt dazwischen. Es gehört sich gewiß nicht. Aber die Sache könnte sonst noch brenzlig werden."

In der Tat bewährte sich die Methode. Den zweiten Obersten, Stellvertreter des Kommandeurs und Prüfer, hatten wir nicht hinzugezogen. Er war ein österreichischer Aristokrat, einst Rittmeister bei den Wiener-Neustädter Dragonern, und stand im gegenwärtigen Betracht über jedem Zweifel. Der Kommandeur selbst verhielt sich unseren gelinden Ungezogenheiten gegenüber tolerant. Vielleicht merkte er, wozu sie dienen sollten. Vielleicht auch hat ihm der Oberstleutnant F. – er galt viel beim Obersten – ein Wort über unsere Absichten gesagt.

Die Zusammenkünfte bei dem Doktor R. fanden nicht regelmäßig statt und zudem in größeren Abständen. Da wir keinerlei Lärm machten und nur am frühen Abende etwas Musik, so fielen wir nicht auf. Auch waren ja unser meist nur sechs oder acht.

Wir waren nicht banal, was ja von uns doch eigentlich wäre zu erwarten gewesen. Das ist merkwürdig. Wir waren es nicht in der Wahl unserer Wörter oder den Gegenständen und der Form unserer Gespräche. Als triebe uns der Druck der Dummheit von allen Seiten über uns selbst hinaus (denn gar so intelligente Leute waren wir ja keineswegs), als triebe uns das in eine Flucht nach oben, wie eine Sintflut, die alle Geschöpfe auf die höchstgelegenen Punkte jagt.

Ich sah Gringos wieder. Sie kamen jetzt jedesmal. Er hieß Manuel und wurde Mano gerufen. Ich sprach mit ihm (von beiden blieb ich vollständig fasziniert, auch jetzt). Er sagte beiläufig: „Man muß halt seine Pflicht tun und abwarten." Die so fragwürdig gewordene Vokabel schien in seinem Munde einen anderen Sinn anzunehmen oder den früheren zu gewinnen, was fast auf ein gleiches hinauslief. Gringo war stets in einem Ministerium gesessen, ein Verwaltungsfachmann von hohen Graden. Er blieb auch jetzt unentbehrlich und wurde, wenngleich Reserve-Offizier, nie einberufen. Das Wort ‚Pflicht', das er gebrauchte, erschloß mir den Mann, die Frau, also beide Ostereier. Ich bohrte nach. Er war nie irgendwelche politische Bindungen eingegangen, weder jetzt noch früher. „Wenn wir's überleben, werden wir schon noch den Sinn dieser Ereignisse und Geschehnisse erkennen." Ich sah in seine etwas schräg gestellten mandelförmigen Augen. Seine Frau neben ihm hatte die gleichen. Ich wußte plötzlich, warum sich hier alles um Gringos drehte, warum man unaufhörlich sie hofierte und kajolierte, ihre Champagnerkelche füllte, Süßigkeiten herbeischleppte, mit ihnen in den Ecken flüsterte, und beide bezärtelte und streichelte, die Frau, den Mann: sie waren die einzigen von uns allen, die fähig waren – gänzlich in Unschuld, und ohne je für oder gegen eine Partei, eine Rasse oder Klasse gewesen zu sein – das, was geschah, für bare Münze der Wirklichkeit zu nehmen, und nicht für einen schweren Unsinnstraum, wie wir es empfanden. Sie saßen wie in einer sicheren Kapsel, er tat seine Pflicht(!), während wir, ohne Ausnahme, für oder gegen irgend was gewesen waren, von daher kommend oder dorthin abgesprungen, treibende Blätter in dämonischen Stürmen, in Spiralen um Gringos uns bewegend, um ihre ruhige Mitte; und langsam setzte sich das, wir sahen in die ruhige Mitte hinein und in den Gringoschen Frieden, wo man sich so verhielt, als sei die Welt eine wirkliche geblieben wie sie immer gewesen war: und dieses Als-Ob schien uns durch Augenblicke oft stärker als jene Welt, in der wir jetzt so schwer atmeten. Das war die Macht der unschuldigen und gutartigen Gringos; und sie allein war entscheidend; und nicht das intellektuelle Niveau dieser Leute (‚soweit davon die Rede sein kann‘).

Ich sah während des Gespräches von meinem Diwan in die Ecke des Zimmers, wo ein Kamin stand, welcher allerdings in seinem Innern einen Dauerbrandofen enthielt, der sanft durch die Glimmerscheiben rötete. Die breite dicke Platte des Kamins war leer; keine Vase, keine Schale, keine Statuette. Gemäß der sonstigen konventionellen Prächtigkeit hier hätte dergleichen dort stehen müssen. Ich wußte jetzt klar, daß die Gringos der Mittelpunkt dieses ganzen Kreises waren, und fast unser Lebensborn, um welchen wir uns drängten wie die Schatten aus der Unterwelt um die bluterfüllte Grube des Odysseus.

Egon von H. kam vorbei. Ich erhob mich, nahm ihn unterm Arm und ging mit ihm durch die Zimmer. Ich wollte nicht hier und jetzt, ich wollte ein andermal mit ihm über die Gringos reden. Er war ja einer von denen, die stabil in Wien blieben, wie die Gringos auch. Von den anderen – mit Ausnahme Albrechts – konnte man es nie sicher wissen. Auch in bezug auf unsere ‚Annahmestelle‘ nicht, oder nur vorläufig. Beim Militär wird man verschickt wie ein Postpaket, so will's der geistreiche Brauch. Der Stabsarzt Dr. E. ist, von diesem Tage an gerechnet, sechs Wochen später schon an der Ostfront gewesen. Zum Glücke schwamm um diese Zeit sein Unterseeboot bereits auf der Oberfläche des Atlantik. Egon war Reserve-Offizier, Fähnrich zur See, vom ersten Kriege her. Aber er hatte eine jüdische Großmutter, sei's nur dokumentarisch produziert, sei's nach dahingehenden Bemühungen wirklich entdeckt. Reserve-Offiziere durften nicht unter ihrem Dienstgrade einrücken, er also gar nicht. Denn mit einer solchen Großmutter, so war die Meinung, konnte er als Offizier nichts taugen: blieb also in seiner Stellung als Bureauchef bei einem Walzwerk.

Wir sahen, daß die Zimmer leer geworden waren und daß sich schon wieder alle um die Gringos versammelt hatten; gewissermaßen um Blut zu lecken. Die Pompöse war auch dabei.

„Ein solcher Grad von Ahnungslosigkeit", sagte Egon, und ich wußte sofort, von wem er redete, „ist sozusagen hochbrisant gefährlich. Es ist ein Lehrfall. Wenn der sich aber als nicht mehr möglich erweist, dann ist bald das Ende aller Zeiten nahe. Sie müßten überleben."

„Warum sollen sie nicht überleben? Wer tut ihnen denn was?" So war meine dumme Antwort.

Am folgenden Abend hallten die breiten Gänge. Ein neuer Schub Anwärter war eingetroffen, auch ältere, große Burschen, die bald militärpflichtig sein würden. Im ganzen waren es gegen vierzig, so daß jeder der sechs Prüfer mindestens ein halbes Dutzend durchzuhecheln haben würde, im Unterrichtssaal (bei den schönen Vorträgen über die alten Germanen und Verwandtes), im Turnsaale und im Arbeitszimmer, alle Gruppen mit ihrem Prüfer allein. Wenn solch ein Schwung Burschen einlangte (manche mußten freilich auch einzeln reisen, da man nicht immer alle sammeln konnte), ward unser im Hause wohnender Major in eine Art hausmeisterische Rolle gedrängt, dabei unterstützt von zwei jüngeren Oberfeldwebeln, die im Zivil Studienräte und sogar Doktoren waren, und einem Unteroffiziere. Jene beiden

Herren hatten die schriftlichen Prüfungsarbeiten der Anwärter zu korrigieren und zu benoten. Des Majoren Stimme schallte freundlich auf den Gängen, er verstand es, mit den jungen Leuten umzugehen und den Krawall doch nicht zu gewaltig werden zu lassen, sei's im Schlafsaal oder beim Essen.

Des nächsten Morgens um acht Uhr war ich zur Stelle. Die Personalpapiere meiner Prüflinge lagen schon am Schreibtisch. Ich hatte mir übrigens längst abgewöhnt, bei jedem Eintritte eines Burschen was Besonderes und Hochindividuelles zu erwarten. Der weit überwiegende Teil war ja als werdende Person (‚soweit davon die Rede sein kann') noch unkenntlich und wies nur ein Gepräge, wie eine Münze.

Als Dritter trat ein sympathischer junger Mann bei mir ein, von welchem ich, sogleich als er unter der Türe erschien, schon wußte, daß er zu diesem, im ganzen doch durchaus preußisch ausgerichteten Kommiß etwas so passen mochte wie ein Kochlöffel zum Schießen.

Während er sich gegen meinen Schreibtisch zu bewegte und ich ihm einen Stuhl daneben wies, sprang in mir etwas vor, das ich als Rettungs-Instinkt bezeichnen muß. Ich war in dieser Hinsicht schon fest entschlossen, bevor er noch saß. Es war ein dicklicher, kaum mittelgroßer Bub (letzteres trotz seines beinahe erwachsenen Alters), mit einem gutartigen Gesicht, in welchem die mandelförmigen Augen etwas schräg standen. In Wien nennt man das ein ‚eierförmiges G'schau'.

„Du willst Reserve-Offizier werden?" fragte ich und er sagte einfach „ja", nicht „jawoll, Herr Hauptmann!", und sagte es auch ohne im Sitzen sich aufzurichten und mit dem Oberkörper Haltung anzunehmen.

„Du kommst aus Prag?"

„Ja, ich komm' aus Prag", antwortete er in gutem Österreichisch, welches dort einst daheim war.

„Du hast hier in Wien Verwandte?" fragte ich.

„Nein."

„Bist' zum ersten Mal in Wien?"

„Bin zum ersten Mal in Wien", sagte er gemütlich und meine Frage gleichsam kopierend. Sein Benehmen war gänzlich zivilistisch, nicht von irgendeinem paramilitärischen Verband geprägt, wie das bei den meisten jungen Leuten damals der Fall war. Er hatte das Benehmen eines Buben aus gutem Hause.

Sein Vater war Kunsthistoriker, das wußte ich aus den Papieren, und als Custos in einem Prager Museum tätig. Eine zur Zeit etwas deplazierte Existenz, ganz wie der Sohn hier deplaziert war auf seinem Sessel neben meinem Schreibtische. Ich glaubte jenen Vater zu verstehen und zu erraten: warum nämlich er den Buben auf diesen Weg geschickt hatte. Früher oder später mußte der doch einrücken. Wurde er nun bei der hiesigen Dienststelle als Offiziers-Anwärter angenommen, so hatte das zur Folge, daß wir gewissermaßen die Hand auf ihn legten, so daß er als Rekrut gar nicht mehr einberufen werden konnte. (Jeder akzeptierte Anwärter ward durch uns beim Wehrbezirkskommando gesperrt: nur wir konnten ihn einberufen lassen, zur Offiziersausbildung nämlich.) Das alles hatte lange und längere Wege, und auf die kam es dem Herrn Papa in Prag sehr begreiflicherweise an. Was er jedoch nicht wußte, war, daß es bei diesen Wegen zwischen den drei Waffengattungen der Luftwaffe – Fliegertruppe, Fliegerabwehr, Luftnachrichtentruppe – importante Unterschiede gab. Und offenbar hatte er die dritte dieser Waffengattungen für die harmloseste gehalten: sie war es aber nicht in unserem Zusammenhange hier. Meine nächsten Fragen ergaben bereits, daß die Wahl der Luftnachrichtentruppe nicht von dem Sohne kam, sondern offenbar vom kunsthistorischen Vater stammen mußte. Sie war dem Buben wahrscheinlich eingeschärft worden.

„Hast' dich schon einmal, vielleicht vor der Matura, mit elektrischen Experimenten befaßt, Schwachstromtechnik, Telegraphie, Radio?"

„Hab' solche Sachen nie gemacht."

„Was denn hast' gemacht?"

„Lesen", sagte er und sah mich aus seinem ‚eierförmigen G'schau' ruhig an.

„Was hast' gelesen?"

„Englisch", antwortete er. „Den Defoë, den Stevenson, den Cooper, den Swift, den Dickens, den Hardy, den Meredith, den James, den Wilde, den Joseph Conrad."

„Und warum willst' zur Luftnachrichtentruppe?"

„Denk' mir, es ist interessanter."

Es konnte mir nicht entgehen, daß unsere merkwürdige Konversation in einen bestimmten Rhythmus gefallen war, der jetzt uns beide umfaßte. Er redete so wie ich und ich wie er. Vielleicht hatte ich mich angepaßt. Vielleicht wollte ich auf diese Weise besser an ihn herankommen. Es erschien mir als möglich.

Zur Fliegertruppe wollte er nicht. Hier fehlten auch alle ‚Bindungen', wie das hieramts technisch benannt wurde: Segelflugschule, Modellbau und dergleichen. Jedoch auch zum Nachrichtenwesen fehlten die ‚Bindungen' bei ihm. Ich konnte mit dieser Begründung ihn für die Fliegerabwehr, die ‚Flak' akzeptieren. Bei der Luftnachrichtentruppe wurde Frontbewährung verlangt, bevor einer den Offizierskurs beginnen konnte. Bei der

‚Flak' nicht. Warum, bleibt hier gleichgültig (es hatte wohl seine Gründe, die Front der Flak war zudem überall). Hier würde geraume Zeit vergehen bis zu seiner Einberufung, und dann begann die Schule!

Ich sagte ihm, daß er bei den Luftnachrichten zunächst in der Truppe würde ausgebildet werden. Dann Frontbewährung. Dann Offiziersschule.

Er begann endlich zu verstehen, das heißt die Direktiven seines Vaters zu verlassen. Ich hatte lange genug mit seinem verspielten Unverstande zu ringen. Aber ich mußte dabei unter allen Umständen obsiegen. Ich wußte es. Ich nahm ihn bedingsungsweise für die Flak an. Die Prüfungsergebnisse des Tages waren dann bei ihm befriedigend.

Doch, wo immer etwas von einiger Bedeutung (sei's für wen immer) im Gange ist, dort erheben sich auch Hindernisse.

Die schriftlichen Arbeiten der Anwärter fand ich am nächsten Morgen korrigiert auf meinem Schreibtische vor; bei jenen des Kunsthistoriker-Sohnes aus Prag hatten die Herren Studienräte kaum rote Tinte verwenden müssen. Auch die übrigen Burschen hatten ihre Sache gut gemacht. Es war ein intelligenter Schub diesmal. Wir kannten auch dumme.

Die Prüfung hatte gestern nicht beendigt werden können. Keineswegs alle Gruppen waren durch alle Stationen gelangt. Bei mir fehlte der Turnsaal. Er war gestern durchwegs besetzt gewesen. Der Adjutant und Hausmajor gab durchs Telephon bekannt, daß wir den morgigen Tag würden zur Verfügung haben, um die Gutachten auszuarbeiten. Das hieß: ab zehn Uhr erst im

Dienste. Mir sagte der Major außerdem, ich möge zum Obersten herunter kommen.

Dieser empfing mich mit gewohnter Freundlichkeit, setzte sich mit mir an den Rauchtisch und begann gleich von dem Prager Anwärter zu sprechen.

Der Oberstleutnant P., so meinte er, habe sich mit dem Burschen unterhalten und ihn ungewöhnlich intelligent gefunden. Es wäre vielleicht doch wünschenswert, Bewerber von dieser Art der etwas schwierigeren Luftnachrichten-Truppe zuzuführen. Doch sage der Junge, er sei von mir für die Flak angenommen worden.

Im Rahmen der Sache blieb mir nur der Hinweis auf das völlige Fehlen aller physikalisch-technischen ‚Bindungen' bei diesem Anwärter. „Ein a-technischer Typ", fügte ich hinzu.

„Allerdings ein schwerwiegendes, ein fast entscheidendes Argument!" sagte der Oberst. „Es zeigt sich auch hier wieder, daß doch nur der betreffende Prüfer selbst einen Fall ganz überblickt. Nun, Herr von S., ich wollte nur anregen, daß Sie die Sache nochmals überprüfen und erwägen."

Damit war ich entlassen und ging in den Turnsaal, wo vor den Leitern schon die Prüflinge in einer Reihe warteten, der Unteroffizier dabei.

Was an dieser Sache mich vor allem unangenehm berührte, war, daß ich (durch den Prager) sozusagen in das Blickfeld des schnauzbärtigen Oberstleutnant P. geraten war. Doch gedachte ich nicht zurückzuweichen. Nach der Turnprüfung – die bei allen gut ausfiel, auch bei dem ‚Eierförmigen' (was mich verwunderte) – kehrte ich in mein Arbeitszimmer zurück und wandte mich den Gutachten zu. Um so weniger würde ich morgen damit zu tun haben.

Der Tag war still. Die Burschen verließen in Begleitung des einen Studienrates das Haus, um zu den ärztlichen Untersuchungen zu gehen.

Das Zimmer war hell. Ich hatte die Empfindung, als müsse bald der erste Schnee kommen, ja, als sei er schon da. Das Zimmer war nicht kahl. Ich hatte ein paar Bilder da hängen, Graphiken, Arbeiten von Freunden.

Mit den Gutachten rasch voran. Bei dem Prager schrieb ich hinter ‚geistig' diesmal nicht mein gewöhnliches Sätzchen sondern: überdurchschnittlich begabt.

Einmal schlief ich ein. Es war, als verlange eine kaum bemerkte tiefere Angestrengtheit ihr Recht. In der Offiziersmesse herrschte heute erholsame Zwanglosigkeit. Weder der Kommandeur noch der Oberstleutnant P. waren anwesend. Beim Kaffee (oder was man damals so nannte), viel Geschwätz, reichlich ungeniert. Wir blieben lange sitzen.

Gegen Abend hallten wieder die breiten Gänge. Unsere Anwärter kehrten von den ärztlichen Stationen zurück. Im Fenster stand jenes Stahlblau, das knapp vor der Dunkelheit kommt im beginnenden Winter und nicht lange währt. Es wurde draußen bald stiller. Auch die unerschöpflichen Kräfte der jungen Burschen kamen an den Rand. Man hatte sie genug herumgehetzt. Mancher mochte nach der Abendmahlzeit sich nur gleich aufs Ohr legen wollen. Ich schloß die Verdunkelung und schaltete das Licht ein. Auf dem Schreibtische lagen die fertigen Gutachten. Ich würde morgen daran nichts mehr zu tun haben.

Ich konnte gehen, jetzt. Die Dienststunden waren zu Ende. Setzt man den Soldaten an einen Schreibtisch, dann wird er zum Beamten, wobei herauskommt, daß er nie ein Soldat gewesen ist. Soldaten mit Aktentasche. Den Typ hatte es früher nicht gegeben; mir lag weder am einen noch am anderen was. Ich machte mich fertig und trat auf den breiten Gang. Er war leer und mäßig erleuchtet. In der letzten Fensternische vor der altertümlichen breiten Treppe stand jemand. Ich hörte halblaut sprechen. Es war der Oberstleutnant P. mit meinem Prager Anwärter, zu welchem er in wohlwollendem Tone sprach, den Arm um seine Schultern gelegt. Ich salutierte im Vorbeigehen, er dankte. Als ich die Treppe betrat, hörte ich seine Stimme hinter mir:

„Herr von S., gehen Sie schon?"

„Jawohl, Herr Oberstleutnant", antwortete ich. Er kam nach, auch schon mit Mantel und Kappe. „Gehn wir zusammen", sagte er. Wir stiegen die Treppe hinab. „Was Ihren Prüfling aus Prag betrifft, mit dem ich eben sprach", äußerte er, als wir auf der finsteren Straße dahingingen, gegen die Haltestelle der Trambahn zu, „so habe ich mich nunmehr Ihrer Anschauungsweise angeschlossen, Herr von S. Der Bursche hat sicher nicht das Zeug zur Luftnachrichtentruppe. Steht dem Technischen ganz fremd gegenüber. Na ja, bei der Flak gibt's ja davon auch genug, das große Gerät, wenn Zieldarstellung geflogen wird, und dergleichen, vom Geschütz selbst zu schweigen. Aber das kann einer eher erlernen. Ich will's morgen dem Obersten sagen, daß ich Ihrer Beurteilung des Falles beitrete. Nichts für ungut, daß ich mich eingemengt habe." „Ich war ein wenig irre geworden", antwortete ich, „da mir ja ein solches Maß von Erfahrung nicht eignet, und habe deshalb den ganzen

Fall nochmals vorgenommen." „Und mit welchem Ergebnis?" fragte er. „Mit dem gleichen, Herr Oberstleutnant", sagte ich. „Recht so!" rief er, „ich danke Ihnen, Herr von S." Sein Straßenbahnzug kam; er mußte in die andere Richtung fahren. Ich salutierte, er schüttelte mir die Hand.

Am gleichen Abend bei Doktor R. Ich hatte daheim nur Zivil angezogen und irgend etwas gegessen, was eben von meinem Faktotum vorbereitet worden war. Dennoch kam ich weit später auf den Favoritenplatz als sonst und fand die Lage demensprechend vorgeschritten. (Albrecht öffnete mir nur die Tür und lief gleich wieder in die Zimmer.) Man schien auch mehr getrunken zu haben, oder kam mir das nur so vor, weil ich selbst unter keiner alkoholischen Einwirkung stand. In jenem Zimmer, wo der Kamin war, hatte sich um die Gringos eine von Zärtlichkeit summende und brummende Traube gebildet. Man hörte auch Quieken und das Schmatzen von Küssen. Niemand beachtete mich, als ich eintrat. Ich blieb im Klavierzimmer stehen und blickte durch die offene Flügeltür. Die meisten kehrten mir den Rücken. Jetzt erst ging mir auf, womit man da beschäftigt war: nämlich das Ehepaar (vielleicht hatte man sie vorher volltrunken gemacht) gänzlich zu entkleiden, wobei mir vor allem die Damen eifrig tätig zu sein schienen, auch das Unterseeboot und die Pompöse. Jetzt hob man die rundlichen blanken Leiber hoch empor: und nun saßen die Gringos nebeneinander auf der warmen Platte des Kamins, während unten alle einander im Halbkreis die Hände reichten und sich mehrmals tief verbeugten. Alles in Stille. Alles schweigend. Dies erschien mir als am meisten kennzeichnend dabei: niemand lachte im geringsten. Auch der Stabsarzt und Dr. B., sein Unterseeboot, ebenso Egon von H., sie alle waren völlig ernst. Die Gringos sahen eigentlich nicht aus wie ein Mann und ein Weib (hintennach und viel, viel später kamen wir dahinter, daß Herr und Frau Gringo auf gar niemanden von den damals Anwesenden – soweit sich diese noch äußern konnten – eine Wirkung solcher Art auch nur im geringsten gehabt hatten). Sie sahen eher aus wie Schweinchen, doch solche mit mandelförmigen, traurig blickenden Augen.

Ich wich. Wäre ich alkoholisiert gewesen, dann hätte ich mich der hier geübten, in irgendeiner Weise rituellen Verehrung dieses Paares vielleicht angeschlossen. So aber prellte ich gleichsam auf, ohne jede Dämpfung und Milderung. Die Türe vom Vorzimmer ins Klavierzimmer war von mir, wie ich jetzt sah, nicht ganz geschlossen worden. Ich glitt lautlos hinaus, nahm Hut und Mantel – erst draußen auf der Treppe schlüpfte ich hinein – und ging bald rasch auf der finstern Straße dahin, völlig befangen in der Vorstellung, es sei zwei oder drei Uhr früh und ich hätte ein ausschweifendes Gelage hinter mir. Daß bei Dr. R. das Haustor noch unversperrt gewesen war, fiel mir gar nicht ein, oder erst, als ich das meine dann auch noch offen fand. Es war neun Uhr. Ich nahm eine Flasche Armagnac, die ich noch aus Frankreich hatte, und trank vor dem Tische stehend aus einem flachen Glase. Im Hause schien es absolut stille zu sein. Ich ging bald zu Bett und schlief wie ein Stein.

Am nächsten Morgen erwachte ich sehr zeitig, noch war es dunkel. Ans Fenster tretend sah ich die Dächer herauftauchen in den Tag. Alle weiß im Schnee, gegiebelt und flach, eine zusammengeduckte Gänseherde bis an den Horizont.

Ich mühte mich, so rasch wie möglich fertig zu werden und an mein Tischchen zu kommen, neben das ich auf ein Taburett den Tee stellte. Jeder Handgriff schob etwas vor mir her, schob es hinaus. Im Grunde war ich froh, in Eile und beschäftigt zu sein.

Als ich endlich saß und meine Papiere auseinander breitete – etwa um sieben Uhr – gellte das Telephon.

Es war Egon. Ob ich gleich zu ihm kommen könne. Er werde mich am Haustor erwarten. Bei Gringos sei wahrscheinlich ein Unglück geschehen.

„Wo wohnen die Gringos?" fragte ich.

„Drei Häuser weit von mir", sagte Egon.

Bis zu ihm hatte ich kaum zweihundert Schritte. Jetzt erst erfuhr ich's also, wie nahe diese Gringos mir wohnten.

„Die Hausmeisterin von ihrem Haus war bei mir, sie kennt mich, ist meine Bedienerin. Sie hat gestern für Frau Gringo beim Einkaufen ein paar Sachen besorgt, die wollte sie jetzt abgeben, weil die beiden schon sehr früh in ihre Büros gehen. Es hat ihr niemand geöffnet, und aufsperren hat sie nicht können, weil die Schlüssel innen stecken. Sie hat auch welche, sie bedient dort ebenfalls."

„Ich komme", sagte ich.

Schlüssel, die innen stecken, wenn niemand öffnet, sind ein böses Zeichen.

Ich zog meine Uniform an. Wußte ich denn, ob ich vor dem Dienst noch einmal würde nach Hause kommen? Auf der Straße hatte der so still gefallene Schnee einen ungeheuren Lärm erzeugt. Räumungsfahrzeuge fuhren scheppernd vorbei und allenthalben kratzte man die Gehsteige frei. Da stand Egon. Wir gingen drei Haustore weiter. Als wir den Treppenabsatz vor der Wohnungstür betraten, war es der Hausmeisterin, einer jungen geschickten Person, mit irgendeinem herbeigeholten Instrument endlich gelungen, den innen steckenden Schlüssel aus dem Schlosse zu stoßen. Nun sperrte sie mit dem ihren auf.

Ich beachtete diese Zimmer nicht, aber ich hatte beim Hindurchgehen den Eindruck, nur in den Augenwinkeln, von außerordentlicher Nettigkeit und puppenhafter Zierlichkeit. Die Doppeltür zum letzten Raume, dem Schlafzimmer, war geschlossen. Die Hausmeisterin klopfte. Dann trat sie gleich ein. Wir folgten.

Durch die Vorhänge fiel ein gedämpftes Licht. Auch hier herrschte größte Ordnung. Ebenso ordentlich lagen die Gringos in ihren Doppelbetten am Rücken. Beide waren schon völlig kalt. Es braucht hier nicht viel mehr gesagt zu werden. Die Zunge eines offen gelassenen Briefumschlages stach von dem einen Nachtkästchen in die Luft. Ich zog das Blatt heraus. Es enthielt zwei Adressen mit Telephon-Nummern, dabei die Notiz: nach unserem Ableben zu verständigen – alles weitere wird von dort geordnet! Sonst nichts. Das Pulver war natürlich da und ein großes Glas, in welchem sich noch Wasser befand. Wahrscheinlich Cyankalium, dachte ich – was halt ein Laie denkt in so einem Fall. Vielleicht hatten sie es schon lange. Sie lagen ordentlich in ihren Betten, bis zum Hals zugedeckt, die Arme ausgestreckt. Wir schwiegen. Dann sprach Egon ein kurzes Gebet in lateinischer Sprache. Die Hausmeisterin bekreuzigte sich. Mich hob mein eigenes Staunen aus den Angeln. Ich war hier einfach nicht mehr zu gebrauchen. Wie sie da lagen, erschienen sie mir wie die noch sichtbaren Spitzen eines ansonst untergegangenen Kontinents. Ein Doppel-Eiland. „Ich muß zum Dienst", sagte ich. „Wirst du das Erforderliche veranlassen, Egon?" Er nickte. Ich gab ihm und der Hausmeisterin die Hand. Auf der Treppe dachte ich: ‚Den Buben hättest du getrost zu seiner Luftnachrichtentruppe rennen lassen können.'

Ich ging nach Hause. Es war acht Uhr. Ich machte starken Kaffee. Doch erweckte er mich nicht wirksam. Ich blieb in einem merkwürdigen Zustande von Somnolenz, von allem getrennt, auf mich selbst zurückgeworfen. Ich saß im Schneelicht, welches weiß das Zimmer weitete, und hielt eine Zigarette in der Hand, deren Asche immer länger wurde. Als ich die Hitze an den Fingern spürte, ließ ich die Zigarette in den Aschenbecher fallen, ohne mich sonst zu rühren.

Wie war es nur? Eine Stufe oder ein Buckel schienen überhoben, ein Höhepunkt überschritten.

Ich dachte nicht mehr an die Gringos.

Als ich zur Dienststelle kam, lag neben den erledigten Gutachten auf meinem Schreibtisch schon ein Stoß neuer Akten. Die Papiere des nächsten Schubes. Ich begann sie durchzusehen. Um elf Uhr klingelte das Telephon. Der Oberst. „Ich wollte Ihnen nur sagen, bezüglich des Prager Anwärters, Herr von S., daß Ihre erste Entscheidung sich offenbar doch als die richtige erweist. Herr Oberstleutnant P. war eben bei mir. Er hat sich Ihrer Meinung nunmehr angeschlossen. Sie haben den Fall wohl noch einmal vorgenommen?"

„Jawohl, Herr Oberst", antwortete ich. „Mit dem gleichen Ergebnis."

„Dann bleibt es also bei Flak", sagte er. „Wir sperren jetzt die Angenommenen beim Wehrbezirkskommando."

Ich legte auf, lehnte mich im Sessel zurück, dachte noch ‚also wenigstens dieser' und war auch schon eingeschlafen.

Und fernerhin schlief auch diese ganze Sache in mir und verblieb so. Ja, zuweilen schien sie mir wenig wirklich, wie alles aus jener Zeit. Ich dachte nicht mehr an die Gringos.

Das Resultat meiner Bemühungen sollte ich erst siebzehn Jahre später erfahren und zu sehen kriegen, unter gänzlich gewandelten Sternen.

Damals war mir der Name meines Prager Anwärters schon wieder begegnet. Jemand hatte ihn genannt, als Custos eines staatlichen oder städtischen Museums hier in Wien. Er war also in Studium und Beruf dem Vater nachgefolgt. Ich wüßte nicht, daß mir jene Erwähnung besonderen Eindruck gemacht hätte.

Einige Monate danach kam ich über den ‚Graben', jene schöne Wiener Straße, in welche die Schaufenster der entzückendsten Geschäfte mit tausend hübschen Dingen hinausplaudern. Die Luft schien mir mild und schäumig, wie frische Seifenflocken, geradezu wohlriechend und jetzt, im Mai, große, geschlossene Blocks von Kühle noch enthaltend. Die mächtige blaue Fahne des Himmels schlug noch keinerlei Hitze herab auf den Asphalt, nur sanfte wehende Bänder von milder Wärme streiften hier Stirne, Wangen und Hände.

Ich sah ihn, etwa zwanzig Schritte entfernt, in der Gegenrichtung behaglich schlendernd einherkommen, ein dicklicher, noch immer jugendlicher Mann. Das Gesicht war etwas fülliger geworden und zeigte jene Aufweichung, die fast allen Kunst-, Literatur- und Musikgelehrten eignet, weil ihr geistiger Haushalt auf dem schon Geformten beruht und nicht das rohe Material des Lebens bewältigen muß. Unverändert blickten die etwas schräg gestellten, mandelförmigen Augen, das ‚eierförmige G'schau'. Er passierte knapp an mir vorbei, ohne mich zu erkennen. Warum auch hätte er mich erkennen sollen? Die Gringos hatten ihn ja in Sicherheit gebracht, so weit das damals möglich war, nicht ich. Nun ja. Es gibt Gedanken, die sich nur bei ganz stillem Wasser hervorwagen. Dann aber schwänzeln sie mit der größten Selbstverständlichkeit dahin wie die silbernen Fischlein. Und im stillsten Wasser ist die Wiederkehr.

TOD EINER DAME IM SOMMER

1963

Der hohe Sommer in der Stadt ist des Schriftstellers Zeit. Alle sind weg, starren in der Ferne durch Windschutzscheiben über ihre behandschuhten Hände am Lenkrad auf eine unter ihnen durchlaufende Straße, das Telephon schweigt, das viele Geschreibsel läßt nach, dessen der Briefträger sonst täglich einen Korb voll ins Vorzimmer kippt, und man kann sich ergehen, ohne fortwährend wem zu begegnen. Erst im Herbste beginnt dann die Lizitation der Urlaubseindrücke, werden die endlosen grauen Würste der Photos gezeigt (ein sich entleerender Bilder-Darm) oder die zuckerlrosa Farbphotographien und die ‚Dias' und Filme, jede Geselligkeit ertötend. Elba sticht Amalfi, Pästum ist hoch und Ägypten der Jolly Joker.

Wer viele Familienbande hat (diesem Wort eignet eine von Karl Kraus entdeckte doppelte Bedeutung), der vereinsamt, wenn er in Wien zurückbleibt, sofort und völlig. Die Bande sind abgeschaltet und, nimmt man sie in der Einzahl, dann starrt sie durch die Windschutzscheibe voraus.

Mein Lehrer und ich, wir hatten wohl keine Familienbande, aber sonst gerade genug (in der Einzahl), und um so mehr genossen wir der Ruhe, wurden nicht mehr gebissen von telephonischen Anrufen, beraschelt von den geballten Ladungen des Briefträgers. Wohl verband uns ein Draht. Doch war der illusorisch, denn mein Meister ist schwerhörig. Dann und wann, selten genug, wenn ich im halbleeren Restaurant gegessen hatte, wußte ich ihn im Café zu finden, nach einem Gang durch die fast einsamen, im Asphaltdunst träumenden Straßen.

Wer aber aus dem Netz von Familienbanden herausgefallen ist – bisher zärtlich umsorgt, dreimal täglich angerufen, fünfmal wöchentlich besucht – für den hat die plötzliche Einsamkeit ein ganz anderes Gesicht.

Die Hofrätin G. setzte sich über die nachgelassenen wissenschaftlichen Arbeiten ihres ein Jahr zuvor verstorbenen Gemahls, der ein international bekannter Philologe gewesen war.

Die Zimmer waren hoch. Der Goldhamster war tot. Er hatte sich damals ein paar Tage nach seines Herrn Ableben aufs Ohr gelegt und war entschlafen. Das Durcheinander der Manuskripte erschien als unbeschreiblich, ebenso ihre Masse. Aus Schubladen kam immer mehr zum Vorschein. Material über Material. Mühsam und langwierig erarbeitete Notizensammlungen. Es erwies sich als fast unmöglich, hier kurzerhand ein paar Konvolute zu vernichten. Es erwies sich als nahezu unmöglich, einen brauchbaren Einteilungsgrund, ein Ordnungs-Prinzip zu finden. Oder ein gefundenes Prinzip ging wieder verloren, es wurde von der Masse erdrückt, man konnte sich daran nicht mehr aufrichten und emporraffen. So entstand beim Umlegen und Einteilen der vielen Stöße Papiers geradezu ein Gefühl der Schwäche in den Handgelenken, vom Kopfe ganz zu schweigen.

Doch mußte es gelingen, der Sachen wenigstens im Ganzen und Groben Herr zu werden. Denn in drei bis vier Wochen sollte ein Herr von Alsberg aus Berlin eintreffen als Vertreter eines großen wissenschaftlichen Verlages, der für des gelehrten und schöngeistigen Hofrates Nachlaß ein lebhaftes Interesse angemeldet hatte.

Der zarten kleinen Dame gelang's dann eben doch, einige Ordnung ins hochkultivierte Chaos zu bringen. Es ist kaum zu glauben, da ihr ja niemand half. Aber sie redete sich mit Erfolg ein, daß sie glücklich sei, jetzt eine Aufgabe zu haben. Und mit diesem Schlüssel schloß sie ihre eigene Situation auf und entband, was in ihr noch schöpferisch war.

Mit Pausen. In diesen strömte ihr neue Kraft zu. Und so sehen wir sie schon auf dem rechten Wege. Sie begann ihre Lage zu genießen. Wir müssen diese Lage auch als durchaus genießbar bezeichnen. Von Sorgen keine Rede, sie bezog eine hohe Witwenpension und besaß einiges Vermögen. Zudem fühlte sie sich bei leidlicher Gesundheit. Die große Wohnung mit ihren hohen Zimmern – ein altmodisches Haus in einer ‚guten Gegend' – stand jetzt um sie wie ein zu weit gewordenes Kleid. Sie gedachte es enger zu machen, die Wege abzukürzen, etwa mit dem Teebrett aus der Küche bis zum Schreibtisch, wo einst der Hofrat gesessen, oder vom ganz am Ende des Vorraums gelegenen Bad über weite spiegelnde Ausgedehntheiten von Parkett bis zu ihrem Schlafzimmer und Bett. Sie hatte schon mehrere kleine Wohnungen in neugebauten Häusern besichtigt, ja, sich sogar zu einer bereits entschlossen. Alles würde da handlicher, aber auch traulicher und heller zusammenrücken. Trotz der hohen Fenster war es hier nicht eigentlich hell. Die Wohnung lag standesgemäß tief, im Hochparterre. Für den Hofrat war das wichtig gewesen. Er hatte nahe an neunzig Kilogramm gewogen und im Hause gab es keinen Lift.

Doch diese altertümlichen dicken Mauern und hohen Räume hier schenkten Kühle und in die Tiefe dieser Zimmer wich man weit genug zurück vor der Hitze draußen auf der Straße. Die Hofrätin ließ jetzt oft stundenlang einen riesigen Garderobe-Schrank mit hohen spiegelnden Türen, die prachtvolle Intarsien zeigten, sperrangelweit offen stehen, obwohl das ja dem Sinne der Einkampferung von Pelzen und Teppichen nicht ganz entsprach. Aber es schien der entströmende Duft die Kühle noch zu steigern.

So lebte sie einsam, ‚wie ein alter Junggesell' dachte sie und lachte. Einmal nur wöchentlich kam die Bedienung. Mittags speiste die Hofrätin in einem guten Restaurant hier in der Gegend.

Es gab die Geräusche. Wenige im Hause, das sehr schalldicht war, vielleicht einmal fernes Gerumpel, das Rücken eines Möbelstückes. Wenn sie nach Tisch ruhte oder abends einschlief, waren von der Südbahn her dann und wann lange Pfiffe zu hören.

Ihre Spaziergänge machte sie im herrlichen Botanischen Garten. Er lag in der Nähe und ganz still, hatte selbstverständlich keinen Kinderspielplatz, und es gab da zwischen Gruppen exotischer Bäume den oder jenen runden Raum um eine Bank, der fast die Abgeschlossenheit eines Zimmers bot, eines Zimmers im Grünen.

Den Herrn von Alsberg habe ich nicht gekannt und auch nie kennengelernt, sondern mit ihm nur zweimal telephonisch gesprochen. Es mag das etwa drei Wochen nach meinem letzten Besuch bei der Hofrätin G. gewesen sein (die ich sehr selten sah). Sie hatte mich damals zum Tee gebeten, um über den wissenschaftlichen und schöngeistigen Nachlaß ihres Gemahls mit mir zu sprechen. Wir waren allein geblieben, lange beisammen gesessen in einem hohen und kühlen Salon. Ich fand sie ihrer Mädchenzeit nahe, seelisch und in der äußeren Erscheinung un-deformiert, möchte ich sagen. Sie erzählte von ihrer jetzigen Lebensweise (daher meine Kenntnisse) und ich rechnete im stillen nach, wann ich sie eigentlich zum erstenmal gesehen und kam auf das Jahr 1923, also vor neununddreißig Jahren. Es roch zart nach Naphthalin (damals verriet sie mir auch, daß sie den Garderobeschrank absichtlich offen lasse).

Der Herr von Alsberg also rief mich vormittags telephonisch an und stellte sich mir auf diese Weise vor. Es war ein Sonntag. Er sei schon über eine Woche in Wien, sagte er (wegen der Manuskripte des Hofrates). Für heute, den letzten Tag seines Aufenthaltes hier, habe er ein Treffen mit der Hofrätin verabredet, sie hatten zusammen das Stift Klosterneuburg besichtigen wollen (Alsberg war Kunsthistoriker). Doch die Hofrätin sei nicht erschienen. Da sie meinen Namen ihm gegenüber einmal erwähnt habe und auch, daß sie mich von Jugend an kenne, nehme er sich die Freiheit mich zu stören. Es sei da ein unbehaglicher Umstand: die Hofrätin nämlich melde sich nicht am Telephon.

„Das muß ja noch kein Malheur bedeuten“, sagte ich, wie in Abwehr einer Besorgnis, die nun auch mich beschlich: und zwar kam mir das aus einer gewissen ängstlichen Aufgeflattertheit in seiner Stimme.

Wie in Abwehr, sagte ich. Zu dieser hatt' ich allen Grund (und verhielt mich auch weiterhin abwehrend, so lang es eben ging). Ich war an diesem Morgen entgleist, ich hatte das nur ganz kurz anhaltende Vehikel des entscheidenden Augenblickes nicht rasch bestiegen auf einer der Untergrundstrecken unseres allzu beziehungsreichen Denkens, welches meistens darauf hinausläuft, daß wir den Faden verlieren. Jede Schwäche aber sucht sich selbst zu entgehen, gleichgültig in welches Material. Ich fand mir das meine. Ich war ins Hintertreffen geraten und begann dort Allotria zu treiben. Damit war ein Zustand herbeigeführt und befestigt, den die Mechanismen des Lebens besonders bevorzugen, wenn sie uns in die Zange nehmen wollen. Über jeden fällt her, was der Ebene zusteht, auf welcher er sich jeweils befindet und der Rang unserer Schwierigkeiten ist unserem Zustandswerte stets genauestens angemessen. Mitten in meine Allotria schnitt das Telephonsignal des Herrn von Alsberg.

Ich fragte ihn, ob er im Laufe des Tages vielleicht Gelegenheit nehmen könnte, bei der Hofrätin G. vorbeizukommen (das wollte er) und ob er die Güte haben würde, mich dann telephonisch anzurufen (das versprach er). Ich selbst sei nicht in der Lage vor dem Abend auszugehen, da ich verschiedene Besuche erwarte und auch das Eintreffen eines Ferngespräches aus München (lauter Lügen).

Wer versagt hat, muß obendrein lügen.

Jetzt aber war der so nötige Abstand von etwa eintreffenden Ereignissen für die nächsten Stunden doch wohl gesichert.

Ich sah den Ernst der Lage: ein Alarmfall. Aus ihm heraus hielt ich jetzt schon für möglich, daß der Hofrätin G. etwas zugestoßen sei. Genauer: meine Stimmung war so, daß ihr etwas hätte zugestoßen sein können. Ein Blick zum Himmel. Er war trüb.

„Lassen Sie ‚Klar zum Gefecht' blasen", sagte seine Excellenz der Admiral Studrey, der sich eben die Masche zum Dinner band, als ihm ein Offizier das Herankommen der Schiffe des Grafen Spee meldete.

Ich hatte auf meine Art einer gleichen Weisung zu gehorchen. Ich tat's: und es gelang! Eine halbe Stunde nach des Herrn von Alsberg Anruf arbeiteten alle Mechanismen normal und ich hatte das – ganz unglaublicherweise – ein zweites Mal auf der Untergrundstecke heranrollende Vehikel mit Erfolg besprungen.

Ich steuerte munter aber wachsam. Der Text legte sich glatt ab. Einmal rief ich mir zu: „Ruhe bewahren!“ Es ging alles gut. – Gegen zwei Uhr kratzte ich irgend etwas zusammen, was eine Kombination zwischen erstem und zweitem Frühstück und Mittagessen darstellen sollte (es wurde auch Tee dazu getrunken); danach hatte ich genug von allem und jedem und legte mich auf den Diwan. Das Wetter war noch trüber geworden. Ich brauchte es nicht zu bedauern, daß ich nun wirklich nicht ausgehen konnte. Manchmal kehren unsere Lügen, in Wahrheiten verwandelt, zurück wie ein Bumerang. Nun gut, ich war jetzt bereit. Ich hatte meine Wachposten ausgestellt. Ich schlief. Doch in den allerletzten Augenblicken des Wachseins hatte sich mir noch gezeigt – ganz unwidersprechlich – daß mein Versagen vom heutigen Morgen nicht mehr gutzumachen war, da mochte mir immer das glückhafte Vehikel auf jener Untergrundstrecke ein zweites Mal herangekommen sein. Hinter sein erstes Erscheinen konnt’ ich nicht mehr zurück: denn inzwischen hatten sich der gemachte Fehler und die geschehene Entgleisung mit ihren entsprechenden und rasch herangetretenen Sachen fest verbunden, ja amalgamiert. Die Entgleisung war zu einer Umwelt gekommen, und so erst ganz konkret geworden. Sie würde mir noch zu schaffen machen. Ich wußte es, als ich einschlief.

Um sechs Uhr rief Alsberg an. Ich hatte gelesen. Die Klingel fuhr wie eine Klinge zwischen mich und mein Buch.

Aus seiner Stimme schon wußte ich alles. Die Hofrätin war tot. Es wirkte auf mich als würde ein Span von meinem Leben abgespalten bis in die Jugend hinab.

Er berichtete: das Haustor sei verschlossen gewesen, der Hausmeister halte es am Sonntag dort immer so und habe auch nach langem Läuten nicht geöffnet (die Willkür dieser Leute kennt in Wien keine Grenzen). Alsberg, ratlos vor dem Haustor stehend, sei schließlich vom Hausmeister, der nicht aus dem Tore kam, sondern den Gehsteig entlang, vielleicht aus dem Beisl an der Ecke, autoritativ zur Rede gestellt worden, was und zu wem er da wolle. Nachdem er den Mann unterrichtet hatte, sperrte dieser auf, sie stiegen ins Hochparterre und läuteten bei der Hofrätin, wo sich nichts rührte. Es war festzustellen, daß der Schlüssel innen stecke. Ob man nicht trotzdem eindringen könne? meinte Alsberg. Denn vielleicht könne man den Schlüssel mit irgendeinem Instrument herausstoßen? Ob er, der Hausmeister, Schlüssel habe? Ja, sagte dieser, aber so etwas mache er nur in Gegenwart von Polizeibeamten; und ging solche holen. Alsberg blieb auf dem Treppenabsatz. Der Hausmeister kam nach zehn Minuten mit zwei uniformierten Polizisten zurück. Nun ward der Schlüssel herausgestoßen und aufgesperrt. Die Hofrätin lag im Schlafzimmer auf dem Bette, im Negligé. Sie war kalt. Der danach erschienene diensthabende Arzt nahm an, daß der Tod schon am Morgen eingetreten sei. Die Verstorbene mußte, auf dem Bette liegend, sich erbrochen haben. Es waren Spuren solcher Art vorhanden. Eine Obduktion erschien hier nach den geltenden Bestimmungen unumgänglich. Der Arzt ließ die Leiche sogleich in das gerichtsmedizinische Institut verbringen und die Wohnung ward amtlich versiegelt.

Nun aber begann des Herrn von Alsberg eigentlicher Notstand. Denn einmal mußte er am nächsten Tage schon, und zwar unbedingt, nach Berlin zurückfliegen. Zweitens aber wußte er, daß die jüngere Schwester der Hofrätin mit ihrem Mann im Wagen nach Italien gefahren sei (er war selbst beim Abschied zugegen gewesen), daß ihre Stieftochter gar nicht in Wien lebe, und von weiteren Angehörigen war ihm nichts bekannt (auch mir nicht). Er hatte, auf Anraten seiner Pensionswirtin, das Beste getan, was hier noch zu tun war: nämlich über den Rundfunk eine Aufforderung zur sofortigen Heimkehr an die Schwester hinausgehen lassen, die in Italien umherreiste und dort freilich ohne feste Anschrift war. Nun, und sonst hatte er nur mich.

Ich sagte ihm, der sehr erschüttert schien, er möge nur getrost reisen, ich dankte ihm für seine Umsicht und für das von ihm Veranlaßte. Ich erwähnte noch, daß ich morgen bereits mit dem gerichtsmedizinischen Institut mich in Verbindung setzen werde und nach Freigabe der Leiche alles zu einem Begräbnisse Erforderliche veranlassen wolle. Wir trennten uns am Telephon mit guten Wünschen. Während des Gespräches aber sah ich meinen Umweg zum Schreibtische, den ich heute am Morgen schuldhaft verlassen hatte, immer länger werden. Er führte an vielen Einzelheiten vorbei.

Für heute, Sonntagabend, blieb nichts mehr zu tun. Ich ging ins Café. Schon saß mein lieber Meister dort. Ich schrieb meine Neuigkeiten auf ein Blatt aus meinem Notizbuch und schob ihm das hin, da ich denn hier so laut nicht reden wollte, wie es seine Schwerhörigkeit erfordert hätte. Wir beschlossen, morgen jeder auf die

Bank zu gehen und einen größeren Betrag abzuheben. Das würde dann reichen. Wenn einer krank wird oder gar gestorben ist, braucht er vor allem Geld. Denn obwohl die Leute für solche Fälle ihr ganzes Leben hindurch im voraus zahlen, müssen sie trotzdem dafür immer noch Geld bereit haben, welches sie dann erst hintnach wieder vergütet bekommen. Überdies sind meistens jene gerade im Urlaub, die darüber zu entscheiden haben.

Unsere lieben Urlauber! Im Herbste werden sie ‚Dias' mitbringen.

Er hörte nicht gerne von Todesfällen, mein Professor. Nachdem er den Zettel, welcher ihm von mir zugeschoben worden war, gelesen hatte, sah er mich mit weit geöffneten Augen an, die klar waren, wie ein Forellenbach, und schwieg. Auch er hatte die Hofrätin seit ihrer Jugend gekannt. Sie war fast zehn Jahre jünger als er gewesen. – Wir beschlossen dann noch, einander hier im Café morgen um dieselbe Zeit wieder zu treffen.

Am folgenden Tage erwachte ich schon um halb sechs. Dieser Glücksfall ermöglichte es mir, im laufenden Texte den Anschluß zu kriegen, und die hiedurch bewirkte gute Verfassung ließ mich klar erkennen, daß ich die nun unvermeidlichen Abhaltungen widerspruchslos würde zu konsumieren haben. Ich sah diese Abhaltungen durchaus als mein eigenes Produkt an. Die nötige Distanz war gewonnen, und mit ihr Geduld und Umsicht.

Ein Sarg aus Brettern und ein Hemd von schwarzem Papier: so etwa wird eine freigegebene Leiche auf öffentliche Kosten bestattet, wenn sonst niemand es übernehmen will; das hatte ich sagen gehört; ob zutreffend oder nicht, es mußte einmal gleich ausgeschlossen werden. Ich rief das ‚Gerichtsmedizinische' an und hatte Glück, insoferne, als ich einen Doktor an den Apparat bekam und nicht irgendeinen hausmeist'rischen Unhold. Ich stellte mich genau mit Namen und Adresse vor und gab die nötige Erklärung ab.

Es war die Freigabe nicht vor Dienstag, also morgen, zu erwarten und ich wurde gebeten, an diesem oder dem folgenden Tage wieder anzufragen.

Die Tote mußte dann freilich von einem Leichenbestattungs-Institute übernommen werden und ich versicherte mich alsbald eines solchen. Hier tauchte die erste Schwierigkeit auf: wo sollte sie bestattet werden? Auf einem römisch-katholischen Friedhofe, wohl, aber auf welchem? Wo lag ihr Mann? Wie konnt' ich das erfahren? Nun, dies Problem wurde mein Kreuz nicht; denn auf der Universität sagte man mir den Friedhof genau. Es war der Grinzinger. Doch mußte ich jetzt dort hinausfahren, um die Grablage feststellen zu lassen. Ich gab sie dem Bestattungs-Unternehmen dann bekannt.

Bei dieser Gelegenheit war es, daß sie den Text der Traueranzeige von mir erbaten (den konnt' ich aufsetzen und tat's im Namen der in Italien reisenden Dame) und auch die Anschriften, an welche diese Anzeige würde zu versenden sein. Hier aber fand ich mich ratlos.

Ich begann ernstlich nachzudenken. Sie war vor Zeiten schon durch ihre Heirat in einen ganz anderen Menschenkreis geraten, Professoren, Hofräte und andere Honoratioren; von mir führten da keine Brücklein hinüber und die wenigen vorhandenen waren abgerutscht und in einen sich verbreiternden Spalt gefallen, der uns zunehmend trennte. Vielleicht wußte mein Lehrer Rat, der solche Persönlichkeiten eher kannte als ich. Wir sollten ja heute noch zusammentreffen (auf der Bank war ich zwischendurch auch gewesen). Erstaunlich genug: die verstorbene Hofrätin und ich, wir hatten keine gemeinsamen Bekannten mehr gehabt! Endlich fand ich am Grunde meines Gedächtnisses zwei Damen, von denen eine sogar in meiner Nähe wohnte. Die zweite war ebenfalls eine Hofrätin. Ich konsultierte das Telephonbuch, erhielt in beiden Fällen sogleich Verbindung und – von weiblichen Stimmen, seien das nun Töchter oder Haushaltsorgane gewesen – die Auskunft, daß die gnädige Frau sich im Urlaub befinde, die eine in Griechenland, die andere in Portugal.

Unsere lieben Urlauber! Im Herbste werden sie Filme mitbringen.

Mein Lehrer wußte übrigens ebensowenig Rat. Er nannte nur die schon erwähnten zwei Damen.

Ich bestellte auf jeden Fall fünfzig Partezettel. Weniger ging nicht. Die drei, welche ich versenden konnte, waren an die Wiener Adresse der Schwester, die ich gleichfalls im Telephonbuche fand, zu richten, sowie an die erwähnten anderen zwei im Urlaube befindlichen Damen.

Wer sollte hinter diesem Sarge gehen? Ich ganz allein? Mein Professor versprach es seufzend. Er mied sonst Begräbnisse grundsätzlich.

Es galt, nach Freiwerden der Leiche, wenn diese vom Bestattungs-Institute übernommen und pfleglich behandelt worden war, die Tote auch zu bekleiden, denn aus ihrer Wohnung war sie freilich in jenem Zustande weggebracht worden, in welchem man sie vorgefunden hatte. Woher aber sollte ich die Garderobe nehmen? Von unseren lieben Urlauberinnen war sie nicht zu kriegen. Die

Wohnung der Hofrätin aber blieb versiegelt und würde wohl erst nach Freigabe der Leiche geöffnet werden dürfen. Die Leute von der Leichenbestattung drängten, denn noch immer stand ja der Tag des Begräbnisses nicht fest: man konnte denn auch die Partezettel nicht drukken. (Ich entschloß mich schließlich zu schreiben ‚die Beisetzung hat in aller Stille auf dem Grinzinger Friedhofe stattgefunden'.)

So stak ich im Engpaß der Lage. Jedoch hieß es hier: zu Ende dienen. Am Schluß dieser Reihe von Einzelheiten stand mein Schreibtisch. Ich glaubt' es fast nicht mehr.

Am Dienstag ging ich aufs ‚Gerichtsmedizinische' und traf dort glücklicherweise den gleichen Doktor – ein junger Mann – mit dem ich telephonisch gesprochen hatte. Er sagte mir, daß die Leiche bereits freigegeben sei. Auch bemerkte er einiges über die Todesursache, was ich aber nicht ganz verstand, denn er bediente sich der medizinischen Terminologie. Vielleicht hielt er mich sogar für einen Arzt, weil ich mich ihm am Telephon mit dem Doktorgrade vorgestellt hatte. Soviel entnahm ich (aber vielleicht falsch), daß ein alter Herzfehler mit einer an sich noch nicht lebensgefährlichen Darmvergiftung koinzidiert habe und der Organismus, als solcher überhaupt schwächlich, das nicht mehr hatte bewältigen können.

Ich sagte ihm von der Situation, in die ich geraten war, da alle Angehörigen der Verstorbenen auf Urlaubsreisen sich befänden, und ich die Tote also bestatten lassen müsse. Doch könne ich nicht an ihre Kleider gelangen, weil die Wohnung versiegelt sei.

„Das fällt automatisch weg, wenn wir die Leiche freigeben", bemerkte er. „Aber vielleicht läßt es sich beschleunigen." Sodann fragte er mich nach der Adresse der Verstorbenen und ließ sich mit dem zuständigen Polizeikommissariate verbinden.

Das hatte zur Folge, daß ich am gleichen Tage noch die Wohnung der Hofrätin betreten konnte; nicht ohne vom Hausmeister verhört worden zu sein. Das Bestattungs-Institut übernahm indessen die Leiche. Ich hatte wissen lassen, daß ich Kleider bringen werde.

Vor allem betrinkgelderte ich Herrn Wybiral (den Hausmeister) saftig und gewann ihn auch dadurch, daß ich ihn bat, seine Frau (‚Gemahlin') mit nach oben zu nehmen, denn „ich kenne mich ja mit Damensachen nicht aus".

Die Wohnungstüre öffnete sich, wir traten ein. Die Räume erschienen mir wieder sehr hoch. Sogleich waren Naphthalin oder Kampfer zu spüren (ich fand den großen Garderobeschrank dann offen stehend). Frau Wybiral, eine derbe, vom Kochen verschwitzte Schönheit, etwa dreißigjährig, strebte uns voran durch den großen Salon geradewegs ins Schlafzimmer. Die Luft in der Wohnung war nicht dumpf, jedoch auch nicht kühl, sondern von laulicher Unbewegheit. Im Schlafzimmer bot sich das ungeordnete Bett mit den befleckten Kopfkissen.

Hatte sich die Hausmeisterin einen Anlauf und Schwung nehmen müssen und kollerte nun gleichsam übers Ziel? Die Art, wie sie hier die Schränke aufriß, herumwirtschaftete unter den Sachen der Hofrätin, Wäsche und Kleider durcheinander warf, dies und jenes geringschätzig beiseite fliegen lassend: es bedeutete so etwas wie den demonstrativen Einbruch in eine ihr bis nun verschlossene Welt, entfernt verwandt etwa dem Benehmen eines Plünderers in einer eroberten Stadt.

Herr Wybiral und ich standen in dumpfer Ergebung. Zwischendurch ging die Gemahlin hinaus und kam nach einer Weile mit einem großen braunen Postkarton zurück, den sie irgendwo gefunden hatte. Hier wurden Wäsche, Kleider, Schuhe und Strümpfe hineingetan. Der Hausmeister schritt jetzt musternd durch die Zimmer. Ich benützte die sich bietende Gelegenheit und drückte Frau Wybiral einen vorher schon bereitgehaltenen Geldschein in die Hand. Alsdann, am Schreibtische des Hofrates, ward ein Verzeichnis der entnommenen Sachen aufgesetzt, das ich quittierend unterschrieb. Ich erkannte – in einem Aufblitzen – diese ganzen Vorgänge gewissermaßen als den Höhepunkt meiner Verirrung in die Affären anderer Menschen.

Frau Wybiral fand es weiterhin zu meiner Überraschung offenbar nicht angemessen und standesgemäß, daß ich den Karton mit den Kleidern selbst zum Leichenbestattungs-Unternehmen transportiere. Sie erbat die Adresse. Wollte sie mich etwa kontrollieren und sich vergewissern, daß ich nicht gedachte, mir die Sachen anzueignen? Ich beschloß jedenfalls, dem Ehepaar einen Partezettel zu senden (mir war da jeder Abnehmer willkommen) und den ganzen übrigen Packen – 45 Stück, denn ein Exemplar kam ins Schaufenster der Leichenbestattung – an die Schwester der Verstorbenen schicken zu lassen.

Am nächsten Tag trat Beruhigung ein. Der Termin des Begräbnisses stand schon fest: Donnerstag, 11 Uhr. Ich besorgte noch die Kränze: einen im Namen der Schwester, einen im Namen des Professors und einen als letzten Gruß von mir selbst. Den lieben Meister traf ich im

Café. Wir rechneten die geteilten Gesamtkosten ab und ich gab ihm seinen Rest zurück.

Doch, wie immer: es hatte dieses von mir arrangierte Begräbnis – ‚mein Begräbnis', so empfand ich's schon im Eifer! – einen entschiedenen Schönheitsfehler, der mich wurmte: die geringe Zahl der Leidtragenden, welche dem Sarge folgen würden; der Professor und ich, also zwei Mann. Wahrlich ‚in aller Stille'! Was sollte sich der hochwürdige Pfarrer denken?

Ich gestattete mir an diesem Mittwoch vor der Beerdigung (nachdem ich den schwarzen Anzug nebst Zubehör mit Hilfe meiner Bedienerin geprüft und alles bereit gemacht hatte) einige Erholung, das heißt, ich bummelte in der hochsommerlichen Stadt. Bald jedoch kam ich mir dahinter, daß ich im Grunde nur irgend jemand suchte, den ich hätte dem morgigen Kondukte noch beipressen können: das ist das rechte Wort, denn ich wäre auch zu Zwangsmethoden im Grunde durchaus gewillt gewesen, wenn solche sich gegebenenfalls hätten anwenden lassen.

Am Grunde meines Gedächtnisses zeigte sich nichts mehr, so sehr ich dort herumgraben mochte: es blieb bei den beiden Urlauberinnen. Mir ist später klar geworden, daß ich dabei den Fehler begangen hatte, immer nur um die Hofrätin selbst herumzudenken – die ich in den langen Jahren ihrer Ehe höchstens vier- bis fünfmal gesehen hatte – nicht aber an die Zeit vorher, an das Haus ihrer verwitweten Mutter, wohin ich als junger Mann öfter und sehr gerne gekommen war, als beide Schwestern noch daheim lebten.

Eben diese Zeit wurde mir jetzt plötzlich nahe gebracht, als spränge an meinem Wege ein Türchen auf. Ich kam an einer gegen das Trottoir zu ganz offenen Bar vorbei – es war in einer schmalen und schattigen Gasse der Inneren Stadt – und wurde angerufen.

Hier saß der Herr Emanuel Ritter von W., den man Emo nannte – wir waren im zweiten Weltkrieg am gleichen Frontabschnitte gewesen – mit einem anderen ehemaligen Kameraden beisammen, dem Freiherrn von H., den ich aus einer Offiziersschule der k. u. k. Zeit kannte. Beide Herren waren mir wohl etwas entlegen; aber nun rückten sie ganz nahe. Sie hatten gleichfalls bei der Mutter der verstorbenen Hofrätin verkehrt.

So gab ich ihnen denn die traurige Nachricht, auch daß wir die Hofrätin morgen um elf Uhr in Grinzing begraben würden.

„Ja, so, so", sagte Emo. „Diese dicke Frau!"

„Was redest du denn?!" rief ich aufgebracht. „Ihr Mann war dick, sie aber schlank und zart."

„Ganz recht, hast' ganz recht", sagte er. „Mann dick, Frau dünn."

„Nicht umgekehrt", lallte der Baron H.

Ich erkannte jetzt erst den Sachverhalt.

„Ihr seid ja besoffen", sagte ich.

„Ja", antwortete Emo, „seit vorgestern. Wir haben beide Urlaub, bringen es aber nicht fertig wegzufahren. Wir sind hängen geblieben. Seit vorgestern."

Das machte mir die beiden nun wesentlich sympathischer. Aber in ihrem vorgeschrittenen und schon verglasten Zustande waren sie doch ganz unansprechbar geworden und ich hegte keine Hoffnung mehr, sie dem Kondukte beipressen zu können. Ich bezahlte mein Getränk und empfahl mich herzlich aber entschieden, denn sie wollten mich festhalten.

Daß mir in dieser Angelegenheit auch noch Betrunkene in den Weg kamen, wirkte verstimmend, wenn nicht erbitternd auf mich. Ich gab den Gedanken einer vielleicht doch noch möglichen Vergrößerung des Konduktes gänzlich auf und begab mich nach Hause.

Hier verbrachte ich auch den Abend, ohne mehr auszugehen. Die Tote trat mir jetzt näher als es bisher, seit Sonntag, der Fall gewesen, und im rötlichen Abendlicht, das die Dächer widerstrahlten, schien sie in liebenswerter Weise als ein halbdurchsichtiger Schatten zwischen mir und meinem kleinen Arbeitstische zu stehen. „Ich habe mich zu wenig um dich gekümmert", so sprach ich sie an, „und inzwischen hast du ein ganzes Leben zu Ende gebracht. Es war ein zartes Leben, am ehesten dem einer Pflanze zu vergleichen."

Ich ging lange in meinen Zimmern auf und ab. Trennung von allem und jedem, Bitternis, Einsamkeit und Angst zogen eine schwere Spur durch mich. Endlich blieb ich bei den Flaschen und Gläsern stehen und trank einiges. Fast schien's mir jetzt, als hätten Emo und der Baron H. das bessere Teil gewählt, mochte ich mich gleich an ihnen heute geärgert haben.

Der nächste Tag ging milchig auf, bei geringer Hitze, er trat aus den Schleiern hervor. Diese aber blieben.

In der Einsegnungshalle sah ich zu meiner Überraschung vier Personen wartend stehen. Die beiden Herren von gestern drückten mir die Hand. Weiter rückwärts stand das Ehepaar Wybiral. Außer den drei Kränzen lagen auf dem Sarge ein mächtiger Strauß weißer Rosen und ein Gladiolenbukett in gleicher Farbe. Der Professor kam und stellte sich stumm zu uns. Bald setzte da

Harmonium ein, und der Priester erschien im weißen Chor-Rocke.

Als wir dann draußen hinter dem Sarge schritten – ein gutes Stück – sah ich, daß die Ferne und die sanften Berge im Dunste lagen. Ihnen ging ich entgegen. Der Freiheit. Dem Frieden. Und um nie mehr davon abzufallen!

„Liebe Leidtragende und Hinterbliebene“, sagte der Pfarrer am offenen Grabe. Er hätte wohl auch sagen können ‚Hiergebliebene‘ (statt ‚Davongefahrene‘), und, merkwürdig genug, ich verstand ihn zuerst auch so.

Nach der kurzen und herzlichen Rede des geistlichen Herrn, der uns versicherte, daß es nur eine einzige Hoffnung gebe, nahm mein Lehrer das Wort.

Ich hatte in diesen Augenblicken schon eine dunkle Bewegung zwischen entfernteren Gräbern bemerkt, die gegen uns herankam. Jetzt waren sie näher, und zuletzt schien es, als hätten sich schwarze Vögel – so sahen diese Damen aus – rund um uns und das offene Grab niedergelassen. Die Rede meines Lehrers rollte gewaltig dahin und die schwarzen Vögel hatten alle die Schnäbel halb offen und bewegten sie dann und wann, als wollten sie was sagen, zu Worte kommen und sich erklären. ‚Nieder mit ihnen!!‘ dachte ich. ‚Nieder mit den Filmen, den Dias, den zuckerlrosa Farbphotos, dem Lenkrade, den Handschuhen!!‘ Und mein Lehrer besorgte es. Er redete aus voller Brust, mit tiefer öliger Stimme, im scrotalen Basse: „Die arme Frau, welche wir heute begraben, ist allein gestorben. Wolle dies uns allen ein Zeichen bedeuten, daß wir, so umgeben und umhegt wir immer sein mögen, doch auch durchaus allein leben. Der Einsamkeit entrinnt keiner. In ihr allein ist aber auch der Frieden. Sie hat ihn jetzt ganz gefunden. Wie gelebt, so gestorben.“

Die Schnäbel der schwarzen Vögel rührten sich nicht mehr. Jetzt trippelten sie, mit den großen, finsteren, zusammengefalteten Flügeln der steifen Schleier, an die Grube. Und jedwede Kralle griff das Schäufelchen und warf ein wenig Erde hinab, die mit einem trockenen und sich zerstreuenden Geräusch auf den Deckel des Sarges fiel.

DIE POSAUNEN VON JERICHO

Divertimento

1951

Der Bartriss werde früh geübt
weil er dem ‚Plauz' die Schwungkraft gibt.

Gewalt=Tat gegen Unbekannte
löscht Feuer ehe es noch brannte.

Die epigrammatische Faust erledigt
was uns sonst gründlicher beschädigt.

Erster Teil

1.

Als ich in den Hausflur trat, erkannte ich ihn trotz des Halbdunkels. Es war ein Mann, dessen Nase mir in der Schenke als obszöne Aussage aufgefallen war; sie zipfte und schien zu tropfen gewillt. Den Hausflur hatte ich irrtümlich betreten und im Hause gar nichts zu suchen; sogleich als ich diesen Staatsbahnpensionisten erblickte, wußte ich jedoch, was er hier trieb: es hätte, paradox genug, der kleinen Acht- oder Neunjährigen, an die er sich eben heranmachte, gar nicht bedurft, um zu wissen, daß eine solche Nase an diesem allgemein zugänglichen, jedoch schlecht beleuchteten Orte gar nichts anderes tun konnte, als was ihr eben zukam. Ich wandte mich herum, da ich ja bemerkt hatte, der Hausflur sei nicht der richtige und ich in ein falsches Tor geraten. Ungewiß blieb, was ich gesehen und auch, ob wir einander überhaupt erkannt hatten. Unzweifelhaft jedoch erschien, daß ein jetzt im Hausflur dahinten hörbares Schreien und Schimpfen sich gegen den Pensionisten richtete. Die Ausdrücke waren unflätig. Er war ertappt worden. Ich befand mich schon auf der Straße und ging davon.

2.

Im kleinen Café, wo ich ihn vordem nie gesehen hatte, erschien er zwei Tage später. Er trat, sich umsehend, ein und steuerte auf mich zu, während in den gleichen Augenblicken bei mir der Entschluß entstand und fest wurde, ihn auf ungewöhnliche Weise zu peinigen. In der Schenke hatten wir nie miteinander gesprochen, doch wußte er wohl, wer ich sei; auch ich wußte es ja in bezug auf ihn. Und, augenblicks, wußte ich noch viel mehr: warum nämlich er überhaupt hierher kam. Er wollte was trinken, sich aber in der Schenke nicht sehen lassen. Er fürchtete sich. So schritt er denn auf mich zu, redete mich mit meinem Titel an, gab seiner Verwunderung Ausdruck, mich hier zu finden, fragte, ob ich denn öfter hierher käme, und schließlich, ob er bei mir Platz nehmen dürfe. Ich nickte kurz.

3.

Der Vorgang wiederholte sich während der nächsten vierzehn Tage; fast jedesmal, wenn ich im Café saß, erschien früher oder später die Nase. Sie führte dann auch das Gespräch an meinem Tischchen; freilich allgemeinen Inhalts; jedoch wurde diese Schutzschichte infolge jenes Vorganges durchdrungen, welchen man in der Physik die Diffusion nennt. ‚Die Sprache hat eine verflixte Tendenz zu Wahrheit', heißt es irgendwo bei Gütersloh. „Herr Doktor", sagte der Pensionist, „Sie sind viel herumgekommen. Sie haben manches gesehen." „Manches", entgegnete ich kurz. „Auch ein flüchtiger Eindruck kann unter gewissen Umständen bedeutungsvoll werden." „Stimmt", sagte ich, „und es müssen nicht immer die hübschesten Eindrücke sein." „Sie sind zwar gewiß ein Menschenkenner", bemerkte er nach einer kleinen Pause, „jedoch kann man bei flüchtigen Eindrücken sich allerdings auch ein falsches Bild vom anderen Menschen machen.“ „Nicht, wenn man auf dem Boden der Tatsachen bleibt“, sagte ich rücksichtslos, und: „Man muß auseinanderhalten, was man de facto gesehen hat, und was man sich etwa nur einbildet.“ „Und das können Sie immer, Herr Doktor?“ „Ja“, schloß ich ab, knapp und entschieden lügend (wir lügen sonst meistens zu langatmig).

4.

Sein Befinden schien von Mal zu Mal schlechter zu werden. Ich klopfte keineswegs auf den Busch. Er fuhr mit den Händen auf dem Tische herum. Ich hatte mir für den Fall, daß, nach vollständiger Diffusion, die Schutzschicht der Gespräche sich gänzlich auflösen würde, zurechtgelegt, von der Kürze und Knappheit meiner Antworten zum einfachen Schweigen überzugehen, das heißt überhaupt keine Antwort zu geben, falls eine mehr oder weniger direkte Frage von ihm würde gestellt werden. Wir vergessen dieser Möglichkeit zu sehr im gewöhnlichen Umgange; jede Frage fasziniert uns; schon setzen wir zur Antwort an. Es steht jedoch durchaus in unserem Belieben, zu antworten oder nicht zu antworten. Um daran festhalten zu können, hatte ich mir eine überaus komplizierte Gedankenverbindung bereitgestellt, die ich eben damals bearbeitete, und zwar vergeblich bearbeitete, weshalb ich Kummer empfand oder schlechtes Gewissen. Dieses Gewicht gedachte ich sofort auf mich herabfallen zu lassen und damit meine Lippen zu verschließen, wenn er versuchen sollte, sich meiner zu versichern; auf diese Weise in ein unzugängliches Territorium zurückweichend, zerschnitte ich den Faden des Gesprächs.

5.

Es dauerte gar nicht lange und wir befanden uns an dem Punkte, wo sich meine Anstalten bewähren konnten. „Ist Ihnen vor vierzehn Tagen nicht etwas aufgefallen, Herr Doktor?" sagte er. Schon schnappte ich mir meinen Problemknochen und retirierte mit tierischem Ernst in die Hundehütte des Denkens. Als er hinzufügte: „Wir sind einander doch zufällig begegnet" – da hatte ich die Ebene bereits gewechselt und mich in eine Notlage versetzt, wie sie eben allemal in jener Hundehütte auftritt. Seine Frage war ein viel zu schwacher Reiz, um noch bis zu mir und in mein Gehäuse durchdringen zu können. Deshalb wurde mein Schweigen nicht das Endprodukt einer Anstrengung, sondern nur das Nebenprodukt einer solchen auf ganz anderer Ebene. Ich mußte keineswegs den Mund halten. Er blieb von selber zu. Und zwar in einer Weise, die dem Schweigen jede Möglichkeit nahm, etwa selbst als eine Antwort oder für eine solche dazustehen. Es war um kein Haar mehr als eben – keine Antwort; einfach nichts. Die Aktion – sie verdient trotz allem diesen Namen, weil sie auf einem anderen Boden höchste Aktivität erforderte – war für seine bereits zerfaserten und zerfetzten Kräfte zu viel. Er brach zusammen, das heißt es brach ihm alles heraus, auf die Tischplatte von Stein, er hätte sie eigentlich besudeln müssen. Die Art seines Redens jetzt war das äußerste Gegenteil meines Schweigens von eben vorhin. Ich hatte ihn provoziert, stimmlos, ohne einen Laut auszustoßen. Er sagte alles.

6.

Während meiner Denkensanstrengung war mir – gleichsam als die Aureole davon – sehr deutlich bewußt geworden, daß wir im Herbste standen, in seinem klaren hinausweisenden Wetter, weitsichtig wie die alten Leute, während der Frühling, damit verglichen, immer gleich in der nächsten Ecke seine psychologischen Häferln auf tolle Schnellsieder setzt. Draußen, auf dem sehr breiten Trottoir, lehnte der Herbst, man sah ihn, ohne daß man ein gebräuntes Blatt erblickte. Er lehnte dort, der Geist eines Wanderers, in dieser Stadt fremd, durch Wälder zu wandern gewohnt. Die Stoffbezüge der Polsterbänke hier waren fleischrosa, das kleine Lokal fast leer. Es war draußen sonnig geworden. Der Staatsbahnpensionist also sagte jetzt alles. Die Eltern des Mädchens – sie waren es, die im Hausflur geschimpft und geschrien hatten – zogen dann doch eine finanzielle und schweigende einer polizeilichen und beredten Behandlung der Angelegenheit vor; ja, sie hielten sich dabei in für den Pensionisten noch erfüllbaren und ihm gewissermaßen wie ein Gewand angemessenen Grenzen des Forderns. Zunächst, zweihundertundfünfzig: bis zum 20. Oktober acht Uhr abends. Acht Uhr fünfzehn bei Nichterfüllung Einwurf der Anzeige in den Briefkasten.

7.

Nun, wir hatten jenes Datum, wenn auch erst vier Uhr nachmittags. Und er hatte zweihundertzehn zusammengebracht. Als verheirateter Mann und bei begrenzten Bezügen unterlag er voller Kontrolle. Das Geld lag jetzt vor ihm auf dem Tisch. Er zählte es zweimal durch. An seinen Schläfen, an der Stirn – soweit da von einer solchen gesprochen werden kann – und an den Backenknochen erschien Feuchtigkeit: Schweiß der Schwäche. Ich stellte mir mit Befriedigung vor, daß er jetzt wohl auch an den Füßen schwitzte. Nun galt es, ihn in der eigenen Feuchtigkeit zu dünsten. Ich ließ einen Vorhang herab, indem ich eine Zeitung aufnahm, und verschwand, ohne zu lesen, dahinter in die Hundehütte. Auch diese Aktion gelang. Als ich nach einer Weile mein Notizbuch hervornahm und zu schreiben begann, hatte ich meine Absichten in bezug auf den Pensionisten vergessen. Ich war neutral geworden. Zuletzt las ich wirklich in der Zeitung und verdankte ein gelöstes Nachspiel zu der vorangegangenen Anstrengung dem Umstande, daß hier ausnahmsweise nicht nur Torheiten gedruckt standen, sondern diesmal ein hervorragendes Feuilleton. Im Raume waren längst die Lichter eingeschaltet und von draußen drückte die tiefere Dämmerung dunklen Glanz an die Scheiben.

8.

Mit Schwung stieß ich jetzt aus dem tiefsten Hintergrunde gegen den Pensionisten vor. Er hatte sich übrigens während der ganzen Zeit kaum durch Lesen maskiert, sondern war, nachdem er die zweihundertzehn wieder eingesteckt, vorgeneigt gesessen, den Blick auf der Tischplatte. „Herr Rambausek“, sagte ich, „Sie können den fehlenden Betrag von mir haben, und zwar sofort.“ Er beteuerte sogleich seine Loyalität bezüglich der Rückzahlung. „Eine solche kommt nicht in Betracht“, sagte ich, „denn ich verlange für das Geld von Ihnen eine Leistung.“ „Ich bin zu jeder bereit“, antwortete er einigermaßen tonlos; seine Erschöpfung ließ ihn anscheinend jetzt jeden Mut verlieren. „Es ist ein ganz Geringes, was Sie zu vollbringen haben“, sagte ich und bediente mich absichtlich einer geschwollenen Ausdrucksweise, weil mir deren einschüchternde Wirkung auf Individuen seiner Art durchaus gegenwärtig war. „Indessen muß die Ausführung korrekt sein und genau meinen Angaben entsprechen. Sie verlassen jetzt das Café, und ich folge in kurzem Abstande. Vor jenem Hausflur – Sie wissen vor welchem, dort also, wo die Weinstube ist – werden Sie stehen bleiben und sodann mit vorgestreckten Armen drei tiefe Kniebeugen machen. Die Übung ist langsam auszuführen. Bedenken Sie, daß ich nicht weit hinter Ihnen mich befinde und Ihre Bewegungen beobachte. Nach Ausführung der Übung werde ich Sie meinerseits auf dem Gehsteige überholen, ohne Ihnen irgendwelche Beachtung zu schenken. Ich werde mich in das etwas weiter oben in der gleichen Straße befindliche ‚Café Greilinger‘ begeben und Sie dort erwarten. Unter der Voraussetzung, daß die drei Kniebeugen langsam, tief und vollständig ausgeführt worden sind, werden Sie dort den Ihnen noch fehlenden Betrag von mir ausbezahlt erhalten. Ich bitte Sie, jetzt genau zu wiederholen, was Sie zu tun haben.“

9.

Diese Wiederholung schien ihm die größte Qual zu machen, und ich hatte das gar nicht anders erwartet. Seine eigenen Worte rannen zäh, kalt und dick an ihm herab; und als ich ihn endlich zur Durchführung entließ, schien er beinahe erleichtert. Ich folgte ihm nun unverzüglich. Die etwas bergan führende Straße war belebt, es war die Zeit des Geschäftsschlusses. Ich hielt durch Augenblicke für unmöglich, daß er tun würde, was ich verlangt hatte. Gleich danach packte mich die Vorstellung, einfach auszureißen, davonzugehen, zu verschwinden; aber ich fand mich jetzt durchaus an ihn gebunden, ja gekettet. Schon hatte er die bezeichnete Stelle erreicht, hielt an, stand jetzt still. Und dann ging er in die Hocke. Er warf dabei die Arme vor, wie man's in der Turnstunde gelernt hat. Diese Vorschriftsgemäßheit wirkte absurd. Auch bei der zweiten Hocke beachtete ihn noch kaum jemand, vielleicht meinte man, ihm sei etwas herabgefallen und er hebe es nun vom Boden auf. Als er in die dritte Hocke ging, überholte ich ihn und passierte so knapp an ihm vorbei, daß er aus dem Gleichgewicht kam und sich mit der linken Hand am Boden stützen mußte. In dem großen Café Greilinger saß fast niemand, links rückwärts lag völlige Leere über einer hingedehnten Herde von Sesseln und roten Polsterbänken. Ich rief dem Ober im Vorbeigehen eine Bestellung zu, ging in das Vakuum links hinein und nahm ganz rückwärts Platz. Schon war Rambausek da, kam auf mich zu. Ich sah ihm entgegen: er war jetzt völlig verstört, das konnte ich beim ersten Blick erkennen. Ich saß auf einer Polsterbank, die Hände in den Hosentaschen, die Beine ausgestreckt. Nun war er heran, der Pensionist. Plötzlich bemerkte ich, daß seine Augen noch einen Sprung auf mich zu machten, sie fraßen gleichsam die letzte geringe Entfernung zwischen uns vollends auf; in der nächsten Sekunde griff er mit beiden Händen nach meiner Gurgel. Beim raschen Vortreten war er so zu stehen gekommen, daß meine ausgestreckten Beine sich zwischen seinen Füßen befanden. Ich grätschte, und er fiel auf den Polstersitz gegenüber. Noch traten seine Augen hervor, jedoch sank jetzt ihre Erektion rasch zusammen. Der Blick brach. „Entschuldigen Sie, Herr Doktor", sagte er, „ich bin über Ihre Beine gestolpert." „Das kommt mir auch so vor", sagte ich. Eben schritt der Ober mit meinem Kaffee heran. Ich bestellte für Rambausek einen doppelten Kognak und Soda. Dann übergab ich ihm das Geld. Er steckte es mit Sorgfalt ein, nachdem er die Gesamtsumme noch einmal durchgezählt hatte. Dann trank er gierig und rauchte die angebotene Zigarette. „Lassen Sie sich nicht mehr aufhalten, Herr Rambausek", sagte ich, nachdem er ausgetrunken hatte, „die Sache ist zu meiner Zufriedenheit erledigt, ich danke Ihnen." „Ich Ihnen noch viel mehr, Herr Doktor", entgegnete er, indem er sich jetzt erhob. Einen Augenblick zögerte er, jedoch ich behielt die Hände in den Taschen; so verbeugte er sich denn (und auf gar keine üble Art) und ging ab. Ich sah ihm auf den Rücken. Eben setzte er den Hut auf, und gerade da beobachtete ich seinen Haaransatz im Nacken, und den Hinterkopf überhaupt. Das Kreatürliche in und an ihm wurde mir doch fühlbar jetzt. Ich war zu weit gegangen. Ich verdüsterte mich tief in diesen Augenblikken. Wenige Tage später, auf der Straße, grüßte er mich mit großer Ehrerbietung. Und es war kaum zu verhehlen, daß er mir eben damit schon über den Kopf wuchs.

Zweiter Teil

1.

Oberhalb der Stadt liegt im Wasser des Stroms nah am Ufer das Wrack eines Dampfers, der im Kriege getroffen worden ist. Aus einer zerbeulten Büchse – unten immer noch ein Schiff, ja, als nichts anderes anzusprechen! – ruft die schräg in die Luft stehende lange schwarze Tüte des Rauchfangs über den Strom und das hingezogene Graugrün seiner Ufer: wie ein letzter, stehengebliebener Pfiff der Sirene, aber stumm. Unten liegt jetzt, bei niederem Wasser, alles zum Teil schon am Trockenen und sinkt in die Erde, durch ein Gewicht, welches vom Strome nicht mehr aufgehoben und getragen wird. Vom einst fischglatten Schiffsbauch fehlt ein Teil: grad hinter dem Radkasten ist die Zerstörung eingebrochen. Vorn aber sticht der Steven stromauf und liegt gar im Wasser: nach dem rufenden Rauchfang derjenige Teil des Wracks, welcher am meisten die Form der Aktivität noch bewahrt hat.

2.

Ich kam dorthin oft in jenem Herbste. Ich betrachtete das Schiffswrack, genau und lange. Mich befremdete schließlich, daß keine Kinder, vor allem Buben – die hier überall am Stromufer herumliefen – auf dem Wrack spielten: das mußte doch anziehend sein. Wahrscheinlich war's von der Polizei vernünftigerweise streng verboten worden; denn wenn zwischen den zerrissenen Aufbauten und durch die Spalten des zerschründeten Schiffsleibes solch ein Knirps ins Innere gefallen wäre, darin es rauschte und zog: nicht leicht hätte man ihn da wieder herausbekommen. Die Kinder spielten am Kai. Die Mädel machten fast mehr Lärm wie die Buben. Ihre Stimmen klangen gewissermaßen älter, erwachsener, Frauenstimmen freilich weit ähnlicher als die Laute der noch vor dem Stimmwechsel stehenden Knaben dem Organ eines Jünglings sind. Bei den Mädchen aber hörte man manchen Diskant, der gar nicht anders auch bei erwachsenen Frauenspersonen gehört werden kann. „Guten Tag, Herr Doktor." Das war so eine Stimme. Im übrigen war die da so klein nicht mehr, wohl schon neun oder zehn.

3.

Ich muß gestehen, daß die Stimme des Mädchens mich in irgendeiner Weise aufbrachte, in Verteidigungsbereitschaft versetzte, harnischte. „Woher kennst du mich?" fragte ich, nicht ohne Bestimmtheit, während ich mich ihr zuwandte, sie ins Auge fassend. Das Spiel war unterbrochen worden. Die Freundinnen betrachteten mich aufmerksam. Über den Gesichtsausdruck derjenigen, die mich angeredet hatte, erschrak ich jetzt im tiefsten Innern: es war, mit dem schiefgezogenen Mäulchen, der einer hübschen, dummen, aber geriebenen Person, die hier sozusagen als Schulmädchen umherlief: also etwas lebhaft Unappetitliches. Das Gesichtchen war scharf und fein. „Meine Eltern wohnen in dem Haus, wo die Weinstube ist", sagte sie und nannte den Namen des Wirts. Erst jetzt stellte sich in mir die Verbindung zu dem Stadtteil, wo ich daheim war, überhaupt her; von hier aus eine Stunde Straßenbahnfahrt entfernt. „Und was machst du hier?" fragte ich, strengen Tones. Ich wunderte mich über die Größe ihrer Augen und die Länge der Wimpern; es war, genau besehen, ein außerordentlich schönes Kind. „Ich geh' jetzt hier in die Schule und wohn' auch heraußen bei der Tante." „Warum nicht bei der Mutter?" fragte ich. Sie zog mit dem Mäulchen zugleich den ganzen Oberkörper schief. Alle Mädchen begannen zu lachen und stoben davon.

4.

Ich blieb allein beim Schiffswrack zurück. Der Nachmittag, noch nicht weit vorgeschritten, erfüllte alles mit einer neutralen Stille; es war merkwürdigerweise eine ähnliche Stimmung, im Grundgeflechte sozusagen, wie wenn man in der Schule den leeren Turnsaal betrat aus irgendeinem Grunde, vielleicht weil man dort das Taschentuch verloren hatte. Da lag es. Neben den Kletterstangen. Hier aber kam der Strom unaufhörlich wallend hervor hinter dem Berge links, unter dem leeren Himmel. Es rauschte im Wrack. Ich empfand Schmerz, unmöglich zu sagen weshalb, unmöglich zu sagen worüber: die Wehmut fraß an mir wie ein Gift.

5.

Ich hob die Augen auf – und sah jetzt über den Wassermassen wie einen goldgrünen Garten voll Freude den jüngstverwichenen Sommer stehen, draußen über den Waldbergen, jenseits des Sattels, den die nach Westen führende Bahnstrecke mit zwei Tunnels überwindet. Der Ort dahinter heißt Eichgraben. Nach dem zweiten Tunnel geht es bergab, ein anderer Takt kommt in die Räder, es schlägt und hallt, der Wald hallt vom Zuge, bricht ab, denn nun fährt man frei über den Viadukt hinaus, nach welchem bald, vorm kleinen Bahnhofe, die Bremsen schleifen.

6.

Das Grün ist wogend, warm und schaumig, die Veranda hoch, die Wälder viel weiter, als das Auge auch von diesem günstigen Punkte reichen kann; dann gab es dort noch einen ganz tief gelegenen: ich für mein Teil bewohnte ein Gartenhaus im Talgrund, das zur Villa oben gehörte, am Bache, im hohen Grase. Ich erwachte zeitig, da die Wände großenteils von Glas waren. Die Vögel zwitscherten. Ich sprang aus dem Bett, ging unbekleidet draußen in der Morgensonne durch die nasse Wiese. Hier aber, und selbst am Strom, am Wrack, war dieses Mädchen da gewesen, eben jetzt. Mein Kopf sank herab, ich hörte wieder das Rauschen im Schiffsbauch. Hier ging mir etwas nach, ich zog einen Faden hinter mir her, er verwirrte sich um meine Füße. Ich starrte auf den zertrümmerten Radkasten des Dampfers, als könnt' ich den Stand der Sachen im Grundgeflechte meines Daseins aus diesen Resten lesen.

Dritter Teil

1.

Sogleich nach der Sache mit Rambausek, ja von diesem Tage an, war ein Rutsch hinab nicht mehr aufzuhalten, da mochte ich mich dagegen stemmen, wie immer ich wollte: es ging tiefer und tiefer. Wie die Schiffe im sagenhaften Tangmeer vor Atlantis blieb ich mit erlahmter Arbeitskraft stecken, drehte mich auf der Stelle, mühte mich ohne Frucht, brütete tagelang vor mich hin, roch fast mit der leiblichen Nase die Miasmen meiner geistigen Fäulnis. Auch der Wein wollte nicht helfen, er mischte sich mit dem Übel und verdarb selbst daran. Und in seinem trügenden Glanze wurde er zur Vorspiegelung, zur Fata Morgana besseren Zustands, und immer mehr, bis ich, von ihm gegängelt, in schlechterer Gesellschaft mich befand als jemals vorher, als je in meinem Leben.

2.

Auch nahm die Rauflust überhand, und bald fanden sich dazu die rechten Gesellen. Schon ward nicht mehr in der

Schenke, sondern durchaus nur in meiner Wohnung getrunken, und längst nicht mehr unser ehrwürdiger heimischer Wein, sondern glashelle durchdringend duftende Getränke, zu denen man die eiskalten Sodaflaschen bald nur der Form halber ein wenig zischen ließ, und meist daneben. Oft schwamm der Boden. Streit und Zank brach aus. Tagsüber selbst gingen Betrunkene taumelnd durch mein Vorzimmer. Ich hatte alte Waffen damals an den Wänden, Bogen und Köcher, Degen und Rapiere, kein Dekorationszeug: nein, es waren schon die richtigen. Im Rausch rissen sie die Klingen herab – auch ich war da beteiligt – klirrend ward gefochten, und nicht mehr spaßhaft und gutartig. Noch Unbesoffenere, gleichfalls bewehrt, hieben dazwischen, doch ward jemand in den Arm gestochen, den einer der Kumpane, ein Arzt und Chirurgus, danach verband. Es hätte Tote geben können, den Rapieren mangelten, zu meinem Entsetzen, die Kügelchen, vielleicht hatten die Betrunkenen sie entfernt.

3.

So tobten wir, vergeudeten auch eine Unmenge Geld, von der Zeit zu schweigen, lärmten bei Tage und bei Nacht, und sangen brüllend. Vielleicht ward alles noch schlimmer gemacht dadurch, daß Frauenzimmer bei diesen Zusammenkünften gänzlich fehlten und damit alle Milderungen der Roheit. Man wird nun mit Recht eine Frage bezüglich meiner damaligen Wohnverhältnisse stellen: wie ich mir denn solches in einem Großstadthause, mitten zwischen dessen zahlreichen Bewohnern, erlauben konnte? Doch, ich konnt' es. Über mir war das flache Dach. Die Stockwerke unter mir aber enthielten Büros und Geschäfte und waren also des Nachts, zu welcher Zeit ja das Unwesen und Toben bei mir vornehmlich losbrach, völlig leer. Andererseits jedoch hatte ich ja die sehr geräumige Wohnung nicht allein inne; sie war in zwei Teile geteilt. Und damit komme ich nun auf meine Nachbarin.

4.

Diese war wohl die anmutigste alte Dame – sie stand knapp vor den Siebzig – welche ich je gesehen habe. Schlank und doch rundlich, flink und doch würdevoll, ein spitzmäusig Gesichterl unterm schönen weißen Haar, klug und von unermüdlicher Schaffenskraft und Tüchtigkeit: sie besorgte den ganzen Haushalt für ihren Sohn und die junge Frau, welche dieser kürzlich erheiratet hatte, weil die neuen Eheleute alle beide tagsüber in Beruf und Dienst standen. Das Heim spiegelte von Sauberkeit (freilich seh' ich hier von meinen Zimmern ab, wo immer die gleiche Bedienung durch die Jahre schlampte). Frau Ida – so nenn' ich meine anders genannte Nachbarin hier – konnt' es im Kochen schon bald mit einem Chef de cuisine aufnehmen, und sie war darin auch von größtem Eifer, von größter Ausdauer: ihre Küche ein blitzblankes Laboratorium der Gastronomie. Hier hatten wir oft geplaudert. Meine ganz offenkundige Sympathie und Verehrung erweckten ein freundliches Empfinden auch in der vortrefflichen Dame, und unsere Nachbarschaft war bald die beste geworden.

5.

Zu jener Zeit, als das lärmende Unwesen bei mir begann, befand sich Frau Ida allein. Die jungen Leute hatten den Urlaub dieses Jahres erst spät antreten können und waren für einen Monat nach Süditalien gefahren. Nun gehörte meine Nachbarin keineswegs zu den lärmempfindlichen Menschen, ja sie war es in einem ganz erstaunlichen Grade nicht, und sie hatte diese ihre Eigentümlichkeit oft selber lachend festgestellt. Jedoch war sie durchaus nicht schwerhörig. Nun, zu Anfang der Exzesse, also nicht lange nach dem 20. Oktober und den drei Kniebeugen Rambauseks, gediehen die Sachen ja nicht gleich zur vollen Wucht. Wohl ward gebrüllt. Doch tranken wir ja in dem rückwärtigen meiner beiden Zimmer; überdies hatte ich auf sorgfältige Schallabdichtung gleich beim Beziehen dieser Behausung hier viel Mühe verwendet, wenn auch nicht, um zu saufen und zu lärmen, sondern damals meiner Arbeit wegen; doch kam, was einst der Tugend gefrommt hatte, jetzt auch dem Laster zugute.

6.

Immerhin tapsten des Nachts Betrunkene durch das gemeinsame Vorzimmer, was ihres Wasserabschlagens wegen nicht zu vermeiden war. Dabei brabbelten die Bursche freilich, stießen einander wohl auch an und torkelten herum; und einmal trat der Doktor Pretzmann – das war jener Arzt, der den Gestochenen verbadert hatte – einen in den Hintern, weil der nicht rasch genug von der Muschel weichen wollte. Alsbald entstand Keilerei; und das Lärmen, in meinen Zimmern jetzt auch bemerkt, zog einen nicht mehr aufzuhaltenden Strom in die Vorräume, der dort in jene Keilerei mündete und sie allgemein machte; es war, als gösse man immer mehr Öl ins Feuer, und am Ende rauften gegen zwanzig Personen, jedermann prügelte jeden, der ihm grad zwischen die Hände geriet, und niemand wußte warum.

7.

Man kann sich leicht denken, daß ich danach wegen meiner vortrefflichen Frau Ida schwer besorgt war. Ich drückte mich am folgenden Vormittage zu später Stunde im Bademantel höflich grüßend draußen an ihr vorbei, aber dem Spitzmäusl war nichts anzumerken, es sah frisch und knusprig aus wie immer, und es dankte mir freundlich für meinen Gruß. Unverständlich blieb doch, daß sie bei Nacht nicht protestiert und Ruhe geheischt hatte: der Lärm war ungeheuer gewesen. Was nun über Tag so dann und wann bei mir einkroch, einen trank und wieder abtorkelte, das hatte sich, wenn es der appetitlichen Kleinen begegnete, seit jeher feixender Höflichkeit beflissen, mit Kratzfüßen und etwas unsicheren Verbeugungen. Nun, Frau Ida mußte ja dessen gewahr werden, wie's bei mir zuging. Aber sie ließ sich nichts anmerken. Nach der nächtlichen Keilerei im Vorzimmer befleißigten sich die auch bei Tage Betrunkenen nun schon ganz besonders devoter Formen der würdigen Dame gegenüber, vielleicht drückte sie dann doch das Gewissen. Herinnen in meinen Zimmern ward sie gelobt. Die Kleine gefiel. Das erste Mal aber, daß mir solches eine Art unheimlichen Vorgefühls erzeugte, war, als ich mittags einen der Katzenjämmerlichen – übrigens ein Bursch aus großem Haus und von glatter und sicherer Manier, nur eben ständig angetrunken – draußen im Vorraum mit Frau Ida gar nicht übel konversierend antraf. Hier, merkwürdigerweise, ahnte mir schon nichts Gutes.

8.

In diesen Tagen erzählte mir Frau Ida einmal, daß eine alte Freundin von ihr krank sei; allein in einer verhältnismäßig großen Wohnung sei die fünfundsiebzigjährige Dame, bei der es sich um ein Nervenübel im Bein und dazu noch um eine gewisse Herzschwäche handle, oft fast unfähig zu jeder Bewegung; aber, eigensinnig, wolle sie von der Aufnahme einer Pflegerin nichts wissen. Da müsse eben sie selbst, Frau Ida, viel nach dem Rechten sehen; glücklicherweise sei's jetzt eher möglich, weil ja der Haushalt ihre Anwesenheit nicht so sehr erfordere. Wenn die Schmerzen im Bein bei der Patientin stark würden, leide diese mitunter an Angstzuständen und fürchte dabei vor allem das Alleinsein. So weit Frau Ida. Ich hörte artig zu; mit Aufmerksamkeit; jedoch mit Mißbehagen. Bei allem Lärm der Oberfläche war ich in der Tiefe doch mehr tot als lebendig, und gerade das wurde mir da in der Küche, während Frau Idas Erzählung, bewußt. Und mehr als das: ich fühlte Angst; Angst vor einem rächenden Zorne, der mich selbst plötzlich könnte in Alter und Krankheit stürzen; mitten aus meiner jetzigen Lebensweise heraus. Ja, ich fühlte mich, während die reizende Dame sprach, vom Tode nur wie durch eine dünne und zufällige Wand getrennt.

9.

In meinen Zimmern kam man bald wieder auf die „reizende Kleine", die „Spitzmaus" – so wurde sie hier schon genannt! – zurück. Das Thema setzte sich hartnäckig fest. Wortführer war jener junge Herr, der sich draußen mit Frau Ida unterhalten hatte. Ich sage „Wortführer" und möchte lieber jetzt schon „Rädelsführer“ gesagt haben. Auch schien mir der Doktor Pretzmann bei alledem ständig zu schüren. Der Familienname Frau Idas vermochte wohl irgendwelche Gedankenverbindungen zum Alten Testament hinüber anzuregen. Nachdem aber jemand einmal das Wort „die Posaunen von Jericho“ ausgesprochen hatte – es war unvermutet da, aus irgendeiner unseligen Verbindung hatte es sich ergeben, war es unter die Trinker gefallen – zeigte die ganze Lage urplötzlich ihre Kehrseite, wie wenn man eine Medaille umwendet: die Posaunen von Jericho. Es war unser Wort des Unheils. Ich sah mich einer schon ausgereiften Verschwörung, einem wilden Komplott gegenüber. Jemand trieb die zweifelhaften Geister noch auf die Spitze, indem er schrie: man müsse nun Größe beweisen, über sich selbst hinweggehen, männiglich etwas anschauen lassen, Ungeheures zu tun mit Leichtigkeit bereit sein.

10.

Ich widersetzte mich nur in schwächlicher Weise; ich war befangen und wie gelähmt. In der Tiefe meines Herzens hoffte ich vielleicht, daß durch alles, was sich nun mit größter Schnelligkeit zusammenzog und sogleich ins Werk gesetzt ward, der Pfropfen könnte herausgestoßen werden, der mein Lebensrinnsal sperrte, und sozusagen dem Fasse bald der Boden möchte ausgeschlagen sein. Jener schon zweimal genannte junge Herr wandte sich unverzüglich an die städtische Musikervermittlung: da waren sie nun, die Posaunen, ihrer drei: zweimal Tenor und einmal Baß, und die Bläser dazu. Der Triumphmarsch aus Verdis Aida sollte es sein. Meinetwegen, sei er's. Der Doktor Pretzmann verteilte zwanzig Repetierpistolen, die fürchterlich knallen konnten, freilich nur dies: es waren Spielzeugwaffen. Alles schrie durcheinander, alles redete von der Spitzmaus. Wie herzig sie sein würde in ihrem Bettchen, beim Klange der Posaunen, beim Knattern der Pistolen: vor Schreck sicher wie gelähmt. Ob sie wohl ein Nachthäubchen trage? Sie sei doch süß, die Kleine! Etwa um Mitternacht kamen in aller Stille die Musiker. Ihr Honorar war bedeutend, damit die Sache für sie erledigt, alles übrige erschien ihnen völlig gleichgültig, ihr Gebaren war so geschäftsmäßig, wie nur irgend möglich: sie hatten uns eins aufzuspielen, sie brachten ihre zusammengeklappten Pulte mit und stellten ihre kostbaren Instrumente in den schwarzen Futteralen achtsam beiseite in einen gesicherten Winkel. Dann tranken sie mit uns. Bläser trinken gern.

11.

Der junge Herr arrangierte nun alles mit Eilfertigkeit und Sorgfalt und wurde dabei von dem Doktor Pretzmann unterstützt. Dieser war es auch, der beiseite den Musikern sorgfältig einschärfte, die Türe von innen abzusperren, wenn wir alle ins Vorzimmer hinausgegangen sein würden, und sich solchermaßen einzuschließen; sodann aber unverzüglich ans Blasen zu schreiten und, ohne sich irgendwie darum zu kümmern, was da vorgehe, immerzu und unerschütterlich den gleichen Marsch weiterzublasen und auch stets wieder von vorne zu beginnen. Der Doktor Pretzmann stand bei mir von Anfang an im quälenden Verdacht der Unbesoffenheit und bloß simulierter Räusche. Manchmal schon war er aus der Rolle eines Betrunkenen gefallen; auch damals, als er verbinden mußte, wo er obendrein merkwürdigerweise sein Verbandszeug gleich in einer Ledertasche im Vorzimmer gehabt hatte; zufällig, wie er sagte. Mir schien mitunter, er wolle sich aus uns allen einen Narren machen; oder meinte er, hier die Wirkung des Alkoholabusus studieren zu können? Eher, so kommt's mir hintennach vor, hat er gewünscht, die Sachen auf die Spitze zu treiben, um zu sehen, wie weit wir wirklich gehen würden. In dieser Nacht jetzt, vor der Aktion, war übrigens nicht scharf getrunken worden. Daher auch konnte sich unser Hinausschleichen ins Vorzimmer selbzwanzigst mit beinahe vollkommener Lautlosigkeit vollziehen. Alle Lichter wurden draußen eingeschaltet, die Türe zum Treppenhause leise geöffnet und auch dieses in hellste Beleuchtung gebracht; das sei – so hatte jener Schreier hartnäckig behauptet und auch durchgesetzt – „der Größe der Situation wegen“ erforderlich und auch deshalb, um jedermann den Zutritt gleich ohne weiteres zu ermöglichen: auf daß man männiglich was anschaun lasse. So standen wir, die Pistolen schussfertig in der Hand, lautlos und regungslos dichtgedrängt vor der Türe Frau Idas. Es war 1 Uhr und 25 Minuten.

12.

Jetzt erklangen die Posaunen mit reinster Intonation, klar und sonor; in wahrhaft rührender Schönheit drang Verdis demütig-starker Bläsersatz voll Glanz in die Nachtstille. Wenige Augenblick später brachen wir brüllend unter heftigem Pistolengeknatter in das Schlafzimmer der Spitzmaus ein. Nicht sogleich ward der Schalter für die Beleuchtung neben der Tür gefunden; die Hintersten drängten indessen, immerfort schießend, nach: auch, als das Licht schon in alle Ecken des Raumes gesprungen war, und wir diesen unbelebt sahen und das Bett von Mahagoniholz unbenützt und geschlossen. Noch krachten im Vorzimmer die letzten Schüsse. Wer jedoch schon sah, ließ die Hand sinken. Bald standen wir selbzwanzigst so lautlos und regungslos hier versammelt, wie eben vorhin noch vor der Türe. Verdis Akkorde beherrschten wieder alles, denn die Posaunisten bliesen unentwegt weiter. Als sie jedoch für einige Augenblicke absetzten, um den Triumphmarsch wieder von vorne zu beginnen, hörte man eine rasche Folge klatschender Töne, als werde jemand mit Schnelligkeit geohrfeigt (nun, wahrlich, wir befanden uns nicht weit davon, uns so zu fühlen): es waren die Pantoffeln des Hausmeisters, der jetzt in höchster Eile über die Windungen der Treppe heraufgelaufen kam und im nächsten Augenblick, jedoch mit einiger Vorsicht, unser teilweise vom Pulverrauch erfülltes Vorzimmer betrat. Als er bis zu uns herein gelangt war, blieb er vollends erstarrt stehn, ein langer, dünner Mensch, die Augen aufgerissen, wie helle Scheibchen. Die Posaunen klangen. Der Rauch von den zahllosen Schüssen hing im Schlafzimmer der Spitzmaus wie ein ganz gerades, etwas abfallendes Brett, und so bis ins Vorzimmer hinaus.

13.

Unter unaufhörlichem Posaunenschall erschien auch das Überfallkommando der Polizei, welches die Hausmeisterin gleich beim Beginne des Schießens telephonisch herbeigerufen hatte. Im auch sonst schon lebendig gewordenen Treppenhause trampelten jetzt die Stiefel der Mannschaften herauf. Mit jener durchschlagenden Schneidigkeit, wie sie der Kriminalpolizei aller Großstädte eignet – durch Menschenauswahl und straffe Erziehung – warf sich das Kommando, sein Führer voran, in unsere Wohnung, und einige Augenblicke später standen wir mit erhobenen Armen (lächerlicherweise auch der Hausmeister) den Mündungen der automatischen Pistolen gegenüber. Die Posaunen klangen. Wir hatten unsere Waffen fallen lassen müssen. Jetzt ward deren Beschaffenheit erkannt. Die Maschinenpistolen senkten sich, Sicherungen klappten. Da die Bläser auch durch Poltern und lautes Rufen nicht zum Schweigen zu bringen waren, drückten mehrere Mann die Türe ein: endlich brachen Verdis Akkorde ab. Wer der Wohnungsinhaber sei?, fragte der Kommandoführer. Ich mußte mich wohl melden. Der Doktor Pretzmann grinste ordinär. Ob mir die anwesenden Personen bekannt seien? „Meine Gäste", sagte ich, und: „dieser ist der Hausmeister." Der Kommandoführer hatte freilich schon erkannt, daß es sich hier um eine Büberei handelte. Wir wurden nicht einmal verhaftet, sondern nur auf Grund unserer Ausweise namentlich festgestellt und aufgeschrieben. Auch die Musiker, drei ältere Herren übrigens. Sie waren recht betreten. Das Kommando rückte ab. Die Sache hatte dann für uns alle einige ziemlich langwierige Unannehmlichkeiten zur Folge, gelinde gesagt. Wenn auch eine Übertretung des Waffenpatentes nicht in Betracht kam, so doch wohl die der nächtlichen Ruhestörung, im ausgedehntesten Maße. Wir wurden auch im Sinne jenes Paragraphen, der vom „groben Unfuge" handelt, bestraft, wenn auch bei bedingter Verurteilung wegen unserer Unbescholtenheit. Die Musiker gelang es frei zu kriegen.

Vierter Teil

1.

Der Pfropfen war mit alledem nicht heraus. Hierin hatte ich mich getäuscht. Es stand mit den zuletzt erzählten Auftritten nicht eigentlich in direktem Zusammenhange – wie man wohl glauben möchte – daß ich bald danach meine Wohnung wechselte; auch war's nicht für die Dauer. Ein Freund, der Maler Robert G., hatte sich für einige Monate nach Paris begeben. Ich hütete nun sein Heim. Er hatte mich dringend darum gebeten und wollt' es durchaus so haben. Mir aber paßte das eben jetzt in meinen zweifelhaften Kram. Ich glaubte ja den Pfropfen ernstlich heraus, und eine äußere Veränderung schien das in willkommener Weise zu betonen. Zudem, in dem Haus, wo ich wohnte, hatte ich mich einigermaßen blamiert, so kann man wohl sagen. Wir hatten uns unmöglich aufgeführt. Es sollte Gras darüber wachsen. Ich gedachte einen neuen Abschnitt zu beginnen. Ich vermeinte im Grunde, dieser sei schon damit gesetzt, daß ich übersiedelte und daß man nicht mehr soff (den bösen Gesellen entrann ich an den äußersten Rand der Stadt, schwerlich konnte jetzt bei mir was einkriechen oder abtorkeln). Man verfällt immer wieder dem Aberglauben, das Leben nach eigenem Ermessen periodisieren zu können: durch äußere Arrangements und moralische Kanalisierung. Man reißt sich also irgendwo heraus und fällt anderswo herein.

2.

Ich schickte meine Aufwärterin hinaus mit einigen Sachen und ließ für den Abend einheizen; noch war ja Winter, wenn auch ein milder. Als ich in das Atelier kam, war es schon dunkel. Die Bedienerin hatte des Guten zu viel getan, der Raum war schwer überheizt, hier herrschte Bruthitze. Ich kannte die großen Lüftungsklappen mit eisernen Rahmen in der schrägen Glaswand der Stirnseite und öffnete beide. Die einströmende Luft war feucht. Ich wußte mich nicht weit vom Strome, oberhalb der Stadt, jedoch hoch über dem Wasser. Der Raum hier sprach mich gut an, wenn auch in irgendeiner Weise mit Strenge. Es gehört hierher, daß der Maler nicht unter den Saufbrüdern gewesen war, was sich bei einem Künstler allerdings fast von selbst versteht. Der aus ungehobelten Brettern und schweren Vierkantern gemachte lange Arbeitstisch am Fenster sah stark abgenützt aus. Am einen Ende lagen zum Handwerk gehörige Dinge in einer Art exerziermäßiger Ordnung (sie herrschte auch sonst hier). Ich sah drei Bleistifte parallel ausgerichtet und nadelscharf gespitzt. Ich hätte kaum gewagt, sie zu verschieben, so ordentlich lagen sie da. Bilder gab es keine hier, durchaus nirgends. Vielleicht hatte er alles verschickt oder mitgenommen, seiner Pariser Ausstellung wegen.

3.

Ich hatte mich noch nicht einmal niedergesetzt. Ich stand mit Hut und Mantel. Noch war in mir der Eintritt, der erste Andrang und Eindruck, der uns viel mehr betritt als wir selbst den Raum, in welchen wir treten. Die Bleistifte etwa hatte ich noch gar nicht bemerkt. Es roch nach Lack und Terpentin. Ich war vorher in dem Schlafraum nebenan gewesen. Beim weißgestrichenen Metallbett gab es einen ganz niederen, aber breiten hellblauen Tisch als Ablage: exerziermäßige Blocks und Stifte in Bereitschaft. Ich empfand Neid. Ich vergaß in diesem Augenblicke vollends, daß ich selbst Besitzer einer stillen und ordentlichen, zur Arbeit und Besinnung sehr geeigneten Wohnung war. Ich sah jetzt nur deren Fußboden vor mir, mit Glasscherben und einer Lache vom verspritzten Soda. Hier stand ich vor einer unsichtbaren Wand von Kristall, als ein durch Verbrechen Verunreinigter: durch das Verbrechen der Zeitvergeudung. Die Monate des Winters, der sich seinem Ende näherte, fielen wie von der Zimmerdecke klotzartig herab auf meine Schultern. In diesem Augenblicke hörte ich ein schweres Röcheln, ein ganz gleichmäßiges, das den Raum erfüllte: hä – hä – hä – hä – hä – hä. Von mir ging das nicht aus. Es war außen. Mir fuhr der Schreck in die Brust wie ein durch den Mund hinein gestoßener Stock. Es war außen. Ich wandte mich gegen die Lüftungsklappen. Ein Bahnpfiff ertönte, das Röcheln schwieg. Jetzt erst faßte ich auf, daß ja der Bahnhof sich hier unten am Strome befand; es war eine Verschublokomotive gewesen. Ich zog rasch einen Sessel herbei. Ich erkannte zutiefst, daß ich – hatte ich gleich seit längerem keinen Tropfen alkoholischen Getränks zu mir genommen – völlig versoffen und verblödet war. Man kann wohl seinen Lastern einen Tritt geben und sie verabschieden, nicht aber den Zerstörungen, die sie angerichtet haben. Ich biß die Zähne zusammen, die Tränen traten mir in die Augen. Dann sagte ich laut ein einziges Wort. Es hing unter dem Deckenlicht für eines Augenblicks Länge, dann platzte es und erfüllte leicht hallend den Raum. Ich sagte: Rambausek.

4.

Nächsten Tages unten am Ufer. Den Strom verschließt der Nebel. Soweit man noch blicken kann, sieht man die rasche Bewegung des Wassers. Die Nebel-Leere steht still. Es rauscht im Innern des Wracks, das schon nach außen zerfällt. Der Vordersteven liegt tief im Wasser; bei niedrigerem Stande schnitt er noch schneidig heraus. Die schwarze, hohe, schiefe Tüte des Rauchfanges ruft noch immer über den Strom: letzter, in der Luft hängenbleibender und dann erstickter Dampfpfiff. Aber die Breite des Stroms wird damit nicht mehr eröffnet. Der Nebel wattiert alles ab.

5.

Ich kam dorthin oft in jenem Nachwinter, und den Frühling hindurch. Ich betrachtete das Schiffswrack immer genau und lange. Jetzt, bei Nebel und Trübnis, spielten keine Kinder hier. Doch vierzehn Tage oder drei Wochen später waren sie wieder erschienen. Ich wandte ihnen den Rücken und kümmerte mich nicht um sie. Niemand beachtete mich. Ich betrachtete den geborstenen Schiffsleib und sah über den Strom. Der Blick lag jetzt frei bis zum anderen Ufer. Alles war grau, herüben, drüben. Das Wasser zog eilig. In neutraler Stille hing die Zeit zwischen Winter und Frühjahr, wie zwischen Tod und Leben. Mir ekelte fühlbar vor dieser Leere hier, die mir nichts sagen wollte. Ich ging und blieb weg. Als ich nach vierzehn Tagen doch wiederkam – in irgendeiner Weise verhielt ich mich ja diesem Stromufer gegenüber wie ein Säufer zum Wirtshaus, das er gern meiden möchte, wenn er nur könnte – als ich nach vierzehn Tagen, oder nach längerer Zeit, also wiederkam, war Sonne und Windstille; das Wasser blau, die Berge geklärt. Die Kinder schrien. Ich erblickte vereinzelte winzige, smaragdgrüne Punkte auf dem Deck und den Aufbauten des Wracks: erstes Grün auf angeflogener Erde. Ich sah lange auf diese heftig leuchtenden Punkte zwischen sonst grau-verrotteten Farben. Als ich mich zum Gehen wandte, kamen fünf Personen in einer Reihe, drei Frauen und zwei Männer, die mich grüßten und den Schritt verhielten. Ich blieb stehen. Jetzt waren wir beisammen.

6.

Freilich erkannte ich nur Rambausek, der mich sogleich mit seiner Frau bekannt machte, einer eigentlich beachtlich hübschen, wenn auch für mich ganz nichtssagenden bräunlichen schlanken Person. Das andere Ehepaar begrüßte mich ohne weiteres; den Mann hatte ich wohl in der Schenke schon irgendwann gesehen, die Frau sicher noch nie; dennoch redete sie mich gleich mit „Herr Doktor“ an. Man wird gekannt, ohne zu kennen, jeder wird gekannt, niemand weiß, wie vielfach er gekannt wird (es ist unheimlich). Dieser Frau gegenüber war ich sogleich fassungslos; sie stellte mich nun mit deutlicher Nennung meines Namens der Schwester ihres Mannes vor; das war also die „Tante“: ich erfuhr, daß ihre kleine Nichte jetzt im Frühjahr wieder bei ihr heraußen wohne. Diese ganze Gesellschaft mit – Rambausek war mir vollends unbegreiflich. Sie hatten von ihm erpreßt, jetzt gingen sie mit ihm und seiner Frau hier spazieren. Vielleicht erpreßten sie noch immer, vielleicht erpreßten sie laufend. Den Vater und die Tante der Kleinen konnte ich überhaupt nicht in diesem Zusammenhange unterbringen, es waren Individuen ohne jedes eigentliche Aussehen, sie schienen aus einer längst unerkennbar gewordenen Substanz gemacht, die in Gassen und Treppenhäusern der Vorstadt emulsioniert schwebt. Aber, man merke sich's: diesen Kleinbürgern ist schlechthin alles zuzutrauen; vorn haben sie kein Gesicht, und im Hinterkopf eine Mördergrube, oft auch ein von Bosheit tolles Affenhaus. Ich hörte, daß die Kleine nicht hier an der Lände herumspiele, sondern in der Handarbeitsstunde sei. Es erleichterte mich. Die Mutter, neben welcher ich jetzt dahinging, genügte mir. Sie wandte mir ihr Gesicht und ihre volle Aufmerksamkeit zu. Sie schien mir jedes Wort gleich vom Munde zu nehmen. Sie sah aus wie das Wrack ihrer Tochter, jedoch war dieses Wrack allenthalben mit frischem Grün bewachsen. Stark leuchtende, trompetengelbe Kürbisblüten über einem Mist- und Scherbenberg. Unter ihren – übrigens bescheidenen – Kleidern machte ihr Körper seine Aussagen einzelweis gesondert und hervorgehoben: ein hoher Busen, nein, man müßte sagen: zwei hohe Brüste; und so war alles, rechts und links, oben und unten, vorn und rückwärts. Wir unterschritten den Bahnkörper und trennten uns also vom Strome. Und hier, auf der Straße, war es, wo uns – nämlich Frau Jurak und mich – plötzlich alle anderen verließen: der Mann, die Tante, das Ehepaar Rambausek. Ich hatte erklärt, daß ich keinen Wein trinken wolle, und war hierin von der Jurak sekundiert worden; jedoch schienen es die anderen eilig mit dem Trinken zu haben, und das allen Ernstes. Herr Jurak sagte ganz beiseite und halblaut zu mir, daß er mir recht sehr dankbar wäre, wenn ich seine Frau ein Stück des Heimweges begleiten wollte, vielleicht bis zur Straßenbahn. Wir lachten einen Augenblick, in sozusagen männlichem Einverständnis. „Nicht zu viel, Karl!“ rief sie ihm noch nach. Er winkte lachend ab und verschwand mit den andern bergauf. Frau Jurak und ich wandten uns auf den Weg.

7.

Zehn Minuten später saßen wir im verstecktesten Winkel eines Cafés beisammen, das sich hier an dem Platze befand, wo sie hätte einsteigen müssen, und zwanzig Minuten später waren wir beim dritten Glas Wein. In irgendeiner Weise begannen wir sozusagen gleich vom ersten Augenblicke an zu exzedieren, und die Nähe ihrer breiten Schenkel und sonstigen aus- und einladenden Körperplastik provozierte bei mir alsbald die kräftigsten Quetschgriffe. Sie ließ meine unzweideutige und recht ordinäre Hantierung ohne jeden Widerstand oder Widerspruch geschehen, ja, sie schenkte dem nicht die allergeringste Beachtung und redete mit mir vom Wetter, während ich die linke ihrer schweren Brüste in der Hand wog. Ihre Augen waren die der kleinen Tochter: zu weit offen, zu weit geschlitzt, zu feucht, gleichsam glitschig. Ich erkannte erst spät, daß mir die Frau im Trinken weit überlegen war, ich hatte das in keiner Weise erwartet, und hinzu kam, daß ich gegen den Wein überhaupt Widerwillen empfand. Zuerst hatte ich wohl, gleichsam vorstoßend, nach dem Weine gerufen; nun aber kam sie ihrerseits in Zug, und ich bekämpfte die Literflasche auf dem Tische schon beflissen, indem ich ihr unausgesetzt eingoß: und sie stimmte dem zu. Das Gehaben der Frau Jurak aber wurde bei alledem eigentlich um nichts lebhafter. Sie saß auf ihrem breiten Fundament, ließ sich ohne weiteres küssen, wehrte keinerlei Hantierung ab und trank. Als der Liter gar war, brach sie jedoch eilig auf. Wir fuhren in die Stadt, und ich ging bis ans Haustor mit. Mir war nahezu übel vom Wein (wieder heimgelangt, erbrach ich mich dann). Sie verschwand im Flur. Da stand ich als ein Fremder in meinem eigentlichen Wohnviertel, vor dem Haustor hier neben der Schenke. Wir hatten kein Wort darüber gesprochen, ob und wann wir uns wiedersehen wollten.

8.

Nachdem ich daheim über der Muschel erbrochen hatte – was glatt und sauber abging, denn ich war ja keineswegs betrunken – setzte ich mich auf Roberts Bett, neben dem niederen hellblauen Tischchen. Mir war, als hätt' ich diese Wohnung besudelt, einen höchst ehrenwerten Ort, weil es anständigere vier Wände als die eines Künstlers nicht geben kann: das vornehmste Palais ist dagegen eine Trödelbude. Dabei gedacht' ich ja, es noch weiter zu treiben: schon stellte ich mir die Jurak hier vor, wakkelnden Hinterteiles, den Mund voll dümmster Fragen. Nein, es sollte nicht sein. Es sollte in meiner eigenen Wohnung sein, die ich nun merkwürdigerweise wieder vor mir sah, wie sie heuer im Winter gewesen, mit Glasscherben und Lachen vom verspritzten Soda: es war als blicke ich auf den Grund meines Elends; und doch war es nicht der Grund, die Grundursache. Ich vermocht' sie nicht zu ergraben. Meine Arbeiten waren längst wieder voll im Gange. Die materielle Lage beruhigend. Draußen, im Westen (ich stellte mir das Ausland jetzt als ein jenseits des Ortes Eichgraben gelegenes Gebiet vor, darin einzelne Stellen intensiv grün leuchteten, flächenhaft, wie auf einer Landkarte) – draußen im Westen also stand das Erscheinen eines umfänglichen Werkes, von dem ich wohl einige Ehre erwarten durfte, unmittelbar bevor. Hier aber lebte ich, vor der Stadt, in einer zweifellos reizvollen und dabei vertrauten Gegend und Umgebung, wo ich einst durch mehrere Jahre gewohnt; und, seltsam, gerade darum, jetzt wie ein Fremder im eigenen Hause; und als ein Fremder auch war ich gestern abend in meiner eigentlichen Wohngegend gestanden, bei leichter Übelkeit, vor dem Haustore der Jurak. Nein, ich fand nirgends mehr Grund, ich war nirgends mehr daheim. Der Fußboden schwamm wie ein Floß auf der Flut von Angst, und eben gestern war auch noch die Jurak zu mir auf dieses Floß gestiegen. Es nützte mir nichts, wenn ich mir sagte, daß eine vorteilhafte Lage klar aufgefaßt sein will, ganz wie eine schöne Landschaft, in der man auch nicht zerfahren herumstreunen soll. Schlichthin gesprochen sehr gute Lebensverhältnisse können geradezu bedrückend wirken, wenn in der innersten Kammer des betreffenden Lebens die Tugend fehlt, sie auszufüllen und, schließlich auch, sie zu nutzen.

9.

Mit einem Ernste, einer Versenkung und Verbohrtheit, die außerhalb solcher Befangenheitszustände freilich ganz unbegreiflich und mit ihrer ganzen Unangemessenheit wirken, dachte ich darüber nach, daß doch dort unten, am Schiffswrack, ein Sumpfgeruch niemals war zu spüren gewesen; wie denn auch? Dort rauschte, floß und zog das Wasser eilig. Dennoch, der Sumpfgeruch war da, sobald ich daran dachte. Als habe man dort etwas heraufgeholt, heraufgefischt, heraufgehoben, wie Gerümpel vom Grund eines Teichs, zerbrochene Schirmgestelle, einzelne Stiefel – verschlammtes Gerümpel, durchsetzt von organischer Substanz, nach Schlamm riechend, wie's da herauf und heraus kam, keineswegs rumpelndes Gerümpel, dazu war's viel zu feucht, schlitzig, glitschig, gleitend, triefend; das Wort Gerümpel aber läßt an Dachbodenkammern denken, die doch allermeist ganz trokken sind. Diese Reste hier waren naß, viel zu naß. In solche Bilder also versank ich durch Minuten, auf Roberts Bett sitzend, neben dem hellblauen Tischlein. Robert war weit jenseits Eichgraben im Westen, er war in Paris. Jetzt hörte ich wieder schwach die Verschublokomotive keuchen. Die eine der Lüftungsklappen nebenan war hochgeschlagen, und die Tür ins Atelier stand offen. Wie traulich war es hier; wie furchtbar traulich und traurig. Solchen Bangigkeiten wär' ich früher einmal, aus meiner eigentlichen Wohnung, vielleicht hinab in die Schenke entronnen; und hier in der Gegend gab es noch viel behaglichere Weinstübchen dieser Art, welche ich alle von früher her kannte. Aber, obwohl ich nicht nur diesen Abend, nach dem Zusammentreffen mit der Jurak, derart angstvoll hier verbracht hatte, auf Roberts Bett sitzend neben dem hellblauen Tischchen: ich kam gar nicht auf den Gedanken, auszugehen. Mir konnte der Wein nicht helfen.

10.

Seit meiner Übersiedlung war ich nicht mehr in meiner alten Wohnung gewesen. Brauchte ich etwas, schickte ich die Aufwärterin, welche zudem in meinem Auftrag die erforderlichen Zahlungen leistete. Auch Manuskripte und Bücher vermochte sie im Bedarfsfalle dort richtig auszuheben und herbeizubringen; infolge meiner gerade in jenen Jahren schon bis zum Übel entwickelten Pedanterie stand alles, was zum Handwerk gehörte, numeriert. Übrigens waren, seit ich die Frau zum letzten Male hingeschickt, mehrere Wochen vergangen. Nunmehr, und seit neuestem, begannen sich meine Spaziergänge in meine alte Gegend zu erstrecken, allerdings ohne daß ich mein eigentliches Wohnhaus betrat. Auf jenen Gängen – jetzt waren es immer auch Straßenbahnfahrten – bildete zunächst eine Art Zwischenstation der Stadtteil ‚Liechtenwerd' (man nennt ihn auch heute noch so). ‚Liechtenwerd' hatte ich seit neuestem sozusagen entdeckt. Ich mied das Wrack, und ging dafür jetzt hierher. Ein Platz mit weiter Aussicht, wo ich ein kleines Café fand, lag etwa auf halbem Weg zwischen meiner alten und meiner neuen Wohngegend. Hier blieb ich zunächst hängen; und im Fortgehen von daheim, nach Tisch – um diese Zeit pflegte ich mir immer Bewegung zu machen – waren der Liechtenwerder Platz und das kleine Café mein sozusagen deklariertes Ziel (über das ich allerdings bald hinausschoss). Man sah hier von erhöhtem freiem Standpunkte weithin über fast unabsehbare gedehnte Bahnhofsanlagen, auseinanderstrahlende Gleisbündel, Schuppen, Waggonreihen, die in ferner Besonnung wie Zeilen roter Würfelchen wirkten, ausgestoßene Dampfballen geduldiger Verschubmaschinen, dahinter von Rauch und Dunst verschluckte Teile der Stadt gegen den Strom zu; alles das wie gegurtet und wie zusammengehalten von den querlaufenden Viadukten einer Hochbahn. Es war im ganzen ein gewaltiger Ausblick, eine Art artifizieller Landschaft, hingedehnt wie eine natürliche, ein schwerer Akkord vom Ernste unserer Zeit, unserer Gesamtlage, oder wie man es sonst nennen will. In dem kleinen Café aber saß ich wirklich versunken und vergraben, losgelöst von allem und jedem, insbesondere von meinen beiden Wohnbasen, der draußen am Strome, der drinnen in der Stadt.

11.

Dennoch, lang währte es nicht, und es saugte mich gleichsam dort hinein. Ich strich durch die Gassen meines Viertels. Der erste Bekannte, welcher mir dort begegnete, war der Doktor Pretzmann. Er kam auf dem Gehsteig unweit der Schenke in gemächlicher Art daher, seine schöne dicke gelbe Ledertasche in der linken Hand schwingend. „Die alte Frau ist übrigens gestorben", sagte er, nachdem wir uns begrüßt hatten. „Um des Himmels willen, von wem sprechen Sie?!" rief ich. „Von der Freundin Ihrer Hausfrau, Ihrer lieben Frau Ida." „Ach so –" sagte ich, „die mit dem kranken Bein?" „Na, das war nur akzessorisch", bemerkte er beiläufig. „Ihre Frau Ida ist im Herbst und Winter von der Sache sehr mitgenommen worden, sie hat ja auch durch nahezu zwei Monate jede Nacht bei der Patientin verbracht, auf meine Anordnung übrigens; eine Krankenschwester wurde stets hartnäckig abgelehnt; am Schluß haben wir die Patientin dann endlich auf die Klinik gekriegt." „Erlauben Sie mir, Herr Doktor, dann wußten Sie also damals ... nun, als wir in das Zimmer eindrangen, daß Frau Ida gar nicht darinnen war?!" „Natürlich wußt' ich das", sagte er träge. „Sonst hätt' ich das Ganze doch nie zugelassen: die Folgen wären ja, na, sagen wir: unvorstellbare gewesen; im übrigen wußten es alle, mit Ausnahme von Ihnen natürlich ... ich muß dort hinüber", setzte er hinzu und deutete gegen ein Haus auf der anderen Straßenseite. Wir verabschiedeten uns voneinander.

12.

Ich ging langsam die Straße hinab. Den Doktor Pretzmann hätt' ich wohl einiges zu fragen gehabt ... er war allzu rasch wieder verschwunden. Ich mußte in diesem Augenblick zwei Erkenntnisse vollziehen, beide wie schmerzhafte tiefe Schnitte, die ich mir selbst beibrachte. Einmal erstens, daß, wer mit den Dingen des Geistes zu tun hat, an dem Auftreten von Lastern und dem Platzgreifen von unerlaubten Freiheiten zu erkennen hätte, daß er sich längst außerhalb seiner selbst befinde – während die anderen hiezu ihren Boden solchermaßen nicht verlassen müssen – daß er also unter seinen Genossen immer der Dümmste sei; zweitens, daß ihn, um ein solcher Genosse überhaupt zu werden, bereits weitgehende Verblödung umfangen müsse, kurz, daß er nur stürzend das sein oder tun kann, was die anderen stehend vollbringen. Die außerordentliche Verblödung, in der ich mich befunden hatte und wohl noch immer befand, illustrierte sich aufs deutlichste durch den Umstand, daß ich gar niemals auf den sehr naheliegenden Gedanken gekommen war, mich zu fragen, wo sich die herzige Frau Ida in der kritischen Nacht eigentlich aufgehalten habe. Die Antwort auf diese von mir gar nicht gestellte Frage aber hatte mir eben jetzt erst der Doktor Pretzmann erteilen müssen. Wer sein Pfund vergräbt, behält nicht einmal dieses eine. Die anderen wissen es zu finden, graben es aus und spielen damit Fußball. Unerbittlich sind des Lebens Mechanismen. Als ich so weit in Gedanken gelangt war, und im Gehen bis zu dem kleinen Café, wo ich einst mit Rambausek gesessen, begegnete mir Frau Jurak.

13.

Sie wolle hinausfahren, sie habe der Kleinen versprochen, draußen an die Lände zu kommen und sie vom Spielen abzuholen; jedoch müsse sie jetzt noch in ihre Wohnung, um die Einkäufe – sie wies dabei auf eine Tasche von Linoleum – abzulegen; ob ich auch hinauszufahren gedächte? Nun gut, ich möge mich ein wenig nur an der Haltestelle gedulden, sie käme bald wieder. Damit enteilte sie und war in sehr kurzer Zeit bereits zurück. Auf halbem Weg blieben wir hängen und saßen zwanzig Minuten nach unserer Abfahrt sozusagen schon knietief in dem kleinen Café am Liechtenwerder Platz. Auch hier hatten wir einen einigermaßen gedeckten Platz im Gewinkel beziehen können; jedoch wurde das kleine Lokal jetzt immer häufiger von neuen Gästen betreten – meist älteren bescheidentlichen Männern – die sich aber darin nicht aufhielten, sondern hindurchgingen und nach rückwärts verschwanden, offenbar in ein Nebenzimmer oder eine Art Klubraum. Ich fragte den Kellner, als er unseren Liter brachte, und erfuhr, daß dies ein Verein von Markensammlern sei, der hier allwöchentlich seine Sitzung und geschlossene Tauschveranstaltung abhalte. Immer kamen noch Nachzügler. Durch die Vorbeigehenden war ich gezwungen, mich halbwegs anständig zu benehmen, wußte aber durchaus nicht, was ich neben dieser Frau – wieder trank sie zügig – ohne ein unanständiges Benehmen noch tun konnte und überhaupt zu suchen hatte; der Aufenthalt konnte nur schweinshalber und anders überhaupt nicht legitimiert werden. Dieses aber wurde mir augenblicklich etwas allzu klar, es stand wie ein Knochen aus der Situation hervor, die drum herum erschreckend magerte. Während ich das nicht mehr abweisen konnte, wurde mir, bei einem Blick durch die große Fensterscheibe, sehr deutlich, daß wir schon tief im Frühling standen, nah seinen raschen Hitzen. Die draußen jetzt durchbrechende Sonne ließ das hellgrüne Laub dreier Bäumchen auf dem Platze wie gefärbtes Papier starr und heftig aufleuchten und zerspaltete dahinter die Rauch- und Nebelmassen über dem Bahngelände, so daß ferne Einzelheiten und rostrote Waggonreihen da und dort leuchtend aus dem Dunste tauchten. Da die Markensammler sich ja nunmehr vollzählig versammelt zu haben schienen, entwich ich dem öden Strande meiner augenblicklichen Lage durch einige Handgreiflichkeiten, die in einer mir schon bekannten Weise hingenommen wurden. Indessen, da kam noch einer vorbei, ein spätes Vereinsmitglied. Da die Jurak mit dem Rücken halb gegen den Durchgang saß, bemerkte ich ihn früher; aber wir fuhren doch etwas plötzlich auseinander. Es war Rambausek. Als er um die Ecke verschwand, wurde die Tatsache jedoch ein wenig weicher, als Tatsachen sonst sind: es hätte Rambausek gewesen sein können. Nacheilen war unmöglich, zudem schon versäumt. Nun hatte es mich also erwischt. Nun saß er mir wie eine Wäscheklammer im Genick. Ich hing da. Als nicht ganz sauberes Hemd. Solchermaßen unliebsam verwandelt, konnt' ich mit der Jurak nicht mehr handgemein werden. Wir brachen denn auch bald auf. Der Nachmittag neigte sich. Der Liter war ausgetrunken.

14.

Mein Grimm gegen Rambausek wurde bodenlos. Was hatte dieses Tier in dem kleinen Café am Liechtenwerder Platz zu suchen? Was hatte er überhaupt Marken zu sammeln! Oder kroch er mir nach? Wenn er versuchen würde, mich zu pressen – ich würde ihn schon meinerseits zu pressen wissen, und wie mit Daumenschrauben! So dachte ich die unsaubersten Sachen; und daß ich ihm das Markensammeln schon noch austreiben würde, diesem Biest, und seine sonstigen ‚Liebhabereien' dazu! – Wir waren nun draußen angelangt, verließen die Straßenbahn und querten den Platz gegen die Lände am Strom zu. Wir unterschritten den Bahnkörper. Jetzt eröffnete sich der Blick über die mächtige Breite des ziehenden Wassers; es eilte, es eilte uns entgegen und an uns vorbei. Wie ein scharfer Bläserton aus dem Orchester steigt, so war hier das noch vor kurzem nur stellenweise aufleuchtende helle Grün fast zur Dominante gestiegen, ja, es schwoll allenthalben in der schrägeren Sonne zu einem stehenden Orgelpunkt von Grün und Gold. Schief schob das Wrack seinen toten Schlot gegen das Himmelsblau und die webende Sonne. Neben mir die Jurak begann plötzlich zu rennen: das war kein spaßhaftes Entgegenlaufen – dem Mäderl etwa – ihr Hinterteil machte angestrengte und heftige Bewegungen, wie die Kruppe eines Pferdes, das man in den schärferen Galopp hetzt. Zugleich hatte sie mich ja, ohne auch nur ein einziges Wort zu reden, in der abruptesten Weise hinter sich gelassen, sozusagen als völlig gegenstandslos.

15.

Aber auch ich begann jetzt zu laufen, nicht, um bei der Jurak zu bleiben, sondern weil ich nun gleichfalls erfaßt hatte, daß auf der Uferstraße, beim Schiffswrack, ein Ambulanzwagen stand, neben welchem ein Menschenknäuel hin und her schwankte, der durch Augenblicke so aussah, wie ein aus dem Wasser gestiegenes dunkles Ungetüm. In diesem Knäuel, in dessen Mitte man mit irgend etwas Hellem herumfuchtelte, war die Jurak bereits verschwunden. Nun kam auch ich heran. Man hatte der Kleinen, die beim Herumklettern am Schiffswrack durch eine der Spalten ins Innere und in den Schiffsbauch sozusagen eingeschluckt worden war – herausgezogen hatte sie mit Lebensgefahr eben noch rechtzeitig niemand anderer als Rambausek – jetzt die nassen Kleider heruntergerissen und frottierte sie kräftig. Die sogenannten Wiederbelebungsversuche waren bei ihr glücklicherweise nicht nötig (wohl aber bei Rambausek, der rückwärts ausgestreckt auf dem Damme lag und mit gleichmäßigen Bewegungen unter Anleitung des Arztes gymnastiziert wurde, „beturnt" könnte man auch, mehr zeitgemäß als schön, sagen). Die kleine Jurak hatte längst aufgehört, Wasser zu erbrechen; doch stand ja bei beiden Verunglückten die Gefahr einer Lungenentzündung – noch war der Strom sehr kalt – fast unmittelbar vor der Türe. Man verlud das Mädchen, die Mutter durfte zum Unfallkrankenhause mitfahren; die Ambulanz sollte gleich wieder hierher zurückkehren, um dann Rambausek mitzunehmen, falls die Wiederbelebungsversuche Erfolg haben würden. Denn Tote gehen die sogenannte „Rettung" nichts mehr an.

16.

Er hatte, sofort entschlossen nachspringend, die Kleine, welche schon im Begriffe war, das Bewußtsein zu verlieren – wohl auch vor Schreck – mit äußerster Anstrengung zwei Polizisten heraufreichen können, die eben im Sturmschritt das Wrack enterten: durch denselben Spalt, welcher sie verschlungen, kam die kleine Jurak alsbald wieder ans Tageslicht. Jedoch Rambausek verlor durch das Gewicht des Mädchens im Schlamm den Stand und wurde von dem gurgelnden Wasser in die Finsternis gerissen. Zu seinem Glücke waren hier gleich zwei tapfere

Männer als Retter bereit; sie warfen sich denn auch unverzüglich ihm nach; aber erst nach einigen Minuten gelang es ihnen, Rambausek überhaupt zu finden, weil er beinah zur Gänze schon versunken war; hätten sie nicht ihre elektrischen Taschenlampen gehabt, wäre das Unternehmen aussichtslos gewesen. Nun endlich stemmten sie den tief Bewußtlosen zu zweit empor und brachten auch sich selbst mit schwerer Mühe wieder in Sicherheit. So lag denn Rambausek am Ufer ausgestreckt. Seine Arme wurden rhythmisch bewegt. Noch gab er kein Lebenszeichen.

17.

Ich setzte mich in seiner nächsten Nähe nieder und betrachtete ihn, soweit mir die um ihn beschäftigten Sanitätsorgane nicht den Blick verstellten; seinen Kopf konnte ich jedoch gut sehen. Er enthielt alles; der Körper war nur ein wurmartiges Anhängsel. Was hier auf dem Uferdamme lag, war eine langhingestreckte Nase, zipfend und von jenem Ernst erfüllt, welchen die Dummheit stets über ihre widerlichen Heimlichkeiten breitet. Diese Nase war zu einer ganz wesentlichen Interpunktion meines Lebens geworden; und mit ihr schloß, unter anderem, auch ein Aussagesatz, der als Subjekt den Eigennamen Jurak enthielt. Mit jener Nase aber hatte der Mann begonnen, in mein Leben einzudringen, sie war als Vorderstes darin erschienen, nicht erst im halbdunklen Hausflur, sondern viel früher schon, in der Schenke. Sie bedeutete gleichsam den Henkel des Phänomens Rambausek, an welchem es zu ergreifen gewesen wäre, mittels welchem es von vornherein hätte zusammengefaßt und erledigt werden können. Dies war unterblieben, ich hatte statt dessen Kniebeugen ausführen lassen, der Rutsch war dann nicht mehr aufzuhalten gewesen, die Posaunen von Jericho ebensowenig wie das Geknatter der Pistolenschüsse.

18.

Jetzt aber schoss bei mir ein, was bezüglich war, und der wirkliche und wirksame Schlüssel der Situation glühte und erstrahlte: wir nehmen ihn freilich immer aus der Vergangenheit, nur sie allein vermag uns das Tor der Gegenwart aufzusperren. Ich sprang um Jahre zurück, mit einem Platsch und Knall mitten in meine Jugend. Es war eine einsame, ja völlig leere Gasse gewesen, durch welche, auf dem drüberen Bürgersteig schreitend, ein elegant gekleideter Mann um die dreißig, also gleichen Alters wie ich, mit dämlicher Miene seinen außerordentlich entwickelten Vollbart dahintrug. Hier nun geschah ein Fall apriorischer Kurzerledigung, eine sozusagen von vornherein erfolgende epigrammatische Zusammenfassung des auftretenden Phänomens, anschaulich zudem durch die Sprache der Tathaftigkeit. Und hier wurde deutlich, daß alles Leben nur deshalb immer weiter verläuft, weil wir zu seiner umfassenden Definition nicht fähig sind, auf welche es doch unerlöst wartet; wir aber, stammelnden Mundes, unfähiger Hand, zwingen es, sich weiter zu wälzen, von einem dicken Chronikband in den anderen. Nun aber wartete es einmal nicht vergebens, und wenigstens auf schmalem Segmente ward seinem Anruf unverzüglich volle Folge leistet. Ich kreuzte die Gasse schräg, näherte mich von halb rückwärts dem Bärtigen, und im Überholen ergriff ich denn machtvoll den Bart, mit ganzer Hand, schloß sie zur Faust, und erteilte einen kurzen, jedoch überaus kräftigen Riss nach abwärts, der den Bärtigen stolpern machte. Damit passierte ich ihn, und schon wurde mein Rücken viele Quadratmeter hoch und breit, eine fugenlose, aber entschreitende Mauer glatter Ablehnung, völligen Unbeteiligtseins, absoluter Sicherheit: in einer solchen befand ich mich tatsächlich. Der Bartriss hatte für Augenblicke zwischen mir und dem umgebenden Leben eine breite Randkluft eröffnet, über welche niemandem zu springen möglich gewesen wäre; und hätte es gleich einer versucht: vom archimedischen Punkte, auf dem ich stand, wär' es mir ein leichtes gewesen, ihn zu Fall zu bringen. Aber hinter mir blieb es völlig still. Und ich ging davon. Wäre es aber nicht still geblieben: mein höfliches Erstaunen allein hätte jeden Protest vernichtet. Ich wäre auch ohne weiteres, ja bereitwillig, und nicht ohne Geflissentlichkeit und eine gewisse vorsichtige Wichtigtuerei, mit dem empörten oder gar vor Wut tobenden Bartträger auf die nächste Polizeistation gegangen, um dort noch höflicher und noch viel erstaunter mich zu verhalten; und so hätte ich – etwa durch eine geflüsterte beiläufige Seitenbemerkung zu einem Beamten – den am Barte Gerissenen, und gerade angesichts seiner eigenen hochschwellenden Wut, sicherlich am Ende in die Hände der Psychiater geliefert, deren Kunst ja bekanntlich darin besteht, einen Gesunden, dessen sie habhaft werden können, nunmehr ad hoc verrückt zu machen, so daß ihr Gutachten am Ende doch recht behält.

19.

Anders aber wäre der Bart in mein Leben gedrungen, ganz ebenso wie es der hier vor mir liegenden Nase gelungen war; und vielleicht noch schlimmer; daran zweifelte ich auch heute keineswegs. Wer weiß, ob die Sachen nicht bis zu einer haarigen Durchwachsung meines ganzen Seins gediehen wären, zu einer Art Bartinfiltration: oder bis zur Entstehung einer riesigen Bartflechte; oder wäre ich etwa selbst in irreversibler Weise ganz außerordentlich bärtig geworden? Jedoch, die epigrammatische Faust – unsere einzige wirkliche und dauernd wirksame Waffe gegen die Menschen – hatte alles Übel im voraus zusammengefaßt und mit einem kraftvollen Ruck erledigt: ich brauchte es nicht mehr zu leben. Diesen da, Rambausek, aber hatte ich leben müssen. Kein Nasenriss war erfolgt – der doch buchstäblich als ganz unumgänglich auf der Hand gelegen war, ja sich geradezu aufgedrängt hatte.

20.

Jedoch, ich war gesonnen, wenigstens jetzt zu begreifen, zu verstehen, und diesem Verstehen auch Ausdruck zu verleihen: um das endliche, wenn auch zu späte und also vergebliche Verstandenhaben ging es mir, um das „intellexisse", ja eigentlich um das Verstanden-haben-Wollen. Eben ließen sie von Rambausek ab. Unverzüglich war ich bei ihm. Ich griff mit der ganzen Hand zu, kniff seine Nase ein, und riss kraftvoll. Im nächsten Augenblick schlug er die Augen auf; schon richtete man ihn ein wenig empor, schon saß er, spuckte, erbrach Wasser und spie es aus. Er fuhr mit den Händen in der Luft herum. Ja, er lebte. Ich verließ sofort die Gruppe, ich überließ ihn dem Arzte, den Sanitätern. Ich ging am Ufer entlang, unterschritt den Bahndamm, ging immer weiter, gegen den Platz zu – wo die Jurak hätte einsteigen sollen – und hier, eben als die Doppelflöte der zurückkehrenden Ambulanz ertönte (die nun einen lebenden Rambausek mitzunehmen, keine Leiche liegen zu lassen hatte!), überflatterte mich Weiches, links, rechts und über dem Hute, ein Gefächel der Luft war um mich und ich sah jetzt, daß ein hinter mir aufgescheuchter Taubenschwarm im Begriffe war, sich über mich hinweg schräg empor in die Lüfte zu schwingen.

21.

Bei noch dicht webender abendlicher Sonne gelangte ich heim und fand im Türspalt ein Telegramm Roberts: in einer Woche schon würde er hier sein. Es war hiezu höchste Zeit. Ich gedachte die Wohnung zu räumen; denn schon fühlte ich mich meiner eigenen sozusagen wieder gewachsen oder würdig. Diese hier aber erschien mir wie eine ausgeschossene Patrone: hier war alles getan, nichts blieb mehr übrig. Zudem, in der letzten Zeit hatte es mich oftmals schon vor Tagesgrauen vom Lager an den Arbeitstisch im Atelier getrieben – von wo man weithin über den Strom sah – und ich hatte das Heraufkommen des Tages wieder so erlebt, wie es dem geistigen Arbeiter zukömmlich ist: allen voran in der violetten Morgenfrühe. Nun fiel noch die Infiltration durch Rambausek hinweg, und ich genas am selben Abend und in wenigen Stunden. Jetzt wußte ich, daß ich endlich reisen würde, reisen konnte, reisen durfte: nach Westen.

22.

Bei Rambausek sowohl wie bei der kleinen Jurak blieben Komplikationen aus, keine Pneumonie zeigte sich; den ersteren besuchte ich sogar im Unfallkrankenhause, wohin ich schon drei- oder viermal gegangen war, um mich zu erkundigen. Ich saß an seinem Bett, als an einer Art Katafalk der aufgebahrten Nase. Das nunmehr ausgeschiedene Infiltrat lag still auf dem Rücken. Seine Nase schien mir ungefähr so lang zu sein wie das Bett, und was sonst von seiner Person vorhanden war, dünkte mich unerheblich. Hierin irrte ich mich jedoch. Sein Schweigen wurde urplötzlich sehr beredt und beziehungsreich, ohne daß ein Wort gefallen wäre. Ich hatte meine Hand auf den Bettrand gestützt; er legte, ohne etwas zu sagen, die seine darauf, und dann klopfte oder tätschelte er meine Hand ein wenig; es war begütigend. Wir hatten dieser letzten Interpunktion zweifellos bedurft. Ich ging. In der Straßenbahn noch spürte ich seine Hand auf meiner, die ich jetzt leicht auf die Sitzbank gestützt hatte. Ich befand mich in einem Zustande der Abwesenheit, wie er sich oft mit der Anwesenheit unserer besten Augenblicke verbindet. Das Nachgefühl auf der Hand war leicht und warm, etwa so, als hätte sich da ein kleiner Vogel mit aufgeplustertem Brüstchen niedergelassen. Diese Empfindung, so körperlich werdend, veranlaßte mich hinzusehen. In der Tat lag etwas Leichtes und Warmes auf meiner Hand, nämlich die eines etwa vierjährigen Mäderls, das, zwischen mir und seiner jungen Mutter sitzend, selbstvergessen-staunend durchs gegenüberliegende Fenster sah, wo eben einer jener so außerordentlich hohen Kulissen-Transportwagen der Staatstheater langschwankend vorbeirollte. Ja, die Dekoration wechselt. Hört ihr die Glocke? Ich hatte die meine vernommen, ich wußte, wieviel es geschlagen. Des Kindes Hand blieb einen großen Teil der Fahrt hindurch auf meiner liegen: bei mir rastete ein himmlischer Vogel.

23.

Am nächsten Tage, frühzeitig, ging ich die langen Wagen des Schnellzuges nach Westen entlang. Ich fand bequem Platz in einem Waggon zweiter Klasse und trat dann auf den Gang, der links in der Fahrtrichtung lag. In die rauchige Halle glänzte dort vorne ein Tag von Blau und Gold. Ich öffnete das Fenster. Wir glitten hinaus. Diese Strecke geht bis Paris. Bald beginnt sie zu steigen, in schönen Schwingungen. Die Hügel schwingen mit. Die Häuser sitzen an den Hügeln, recht dicht oft. Die Luft greift kräftiger an, auch der Rauch; der Hall des fahrenden Zuges wird heller, ein Waldtal öffnet sich. Wir sind weit. Wir sind vor dem Sattel, den die Bahnstrecke mit zwei Tunnels überwindet. Zweimal spült sich der Berg mit uns den Schlund aus, als ob er aus einem Glase gurgeln würde. Nach dem Gurgeln geht's zügiger mit der Fahrt, schon bergab. Taktart: alla breve, bisher und bergauf ein wenig komplizierter, etwa $^{12}/_{8}$. Das hallt, das eilt: ein Finalsatz. Jetzt muß sich's heben: wozu lebten wir denn, wenn wir nicht wenigstens im Finale frei würden?! Da ist's erreicht: links-rechts sinkt alles ab, verläßt uns, wir steigen wie im Lift, wir sind draußen, drüber, droben: der Viadukt. Eichgraben. O grünes Tal, bald füllen sich die Kronen, der Wälder Schaum, des Hügels ferner Rand. Tief aus meiner Brust, wie aus der innersten Kammer meines Lebens, respondierte auf das rhythmische Schlagen des bergab eilenden Zuges ein grunzender oder röhrender Ton, wie ihn manche Pferde hören lassen, wenn man sie in den Galopp einsprengt oder diese Gangart verstärkt.

DAS LETZTE ABENTEUER

‹Ein Ritter-Roman›

1936

I.

Der Morgen, welcher über einem waldigen Sattel aufzog, legte seine wechselnden Farben an den wolkenlosen Himmel glatt und rein wie Lack. Ein stumpfer Felskegel, rechts vom Sonnenaufgange unvermittelt aus den Wäldern starrend, behauchte sich späterhin mit blasser rosiger Fleischfarbe.

Jetzt aber war der Osten noch grünlich, und hier am Waldrande unter den riesenhaften Bäumen lagerte dicht die Dunkelheit. Aus ihr sprang ein Flämmchen, knisterte, wuchs, und nun sah man einen Mann an dem wieder zum Leben erweckten Feuer hantieren. Die Pferde stampften rückwärts. Da jetzt der Kessel hing, von den Flammen umspielt, bewegte sich der Mann mit dunklem, schwankendem Umrisse zum Waldrand und sah nach den Tieren.

Auch sonst wurde es unter den Bäumen lebendig.

Man wickelte sich aus Decken und Pelzen, worin man halbbekleidet gelegen hatte, und sprang auf die Beine. Zunächst Gauvain, des Bannerherrn Ruy de Fanez „Ecuyer“ oder Schildknappe. Danach erwachte der zweite von den Rossknechten, aber erst nachdem sein Kamerad ihn gerüttelt hatte. Herrn Ruy ließen sie weiterschlafen bis zum fertigen Morgenimbiß.

Es gab eine dicke Fleischsuppe, man konnte sie bald riechen, sie wallte und brodelte. Derweil wurden, nach dem Füttern und Tränken, die acht am Waldrand stehenden Rosse für den Aufbruch bereitgemacht, zunächst die drei Tragtiere mit ihren Packsätteln, soweit dies schon möglich war, denn Herr Ruy schlummerte friedlich weiter auf seinen Decken, und Kessel wie Eßzeug wurden jetzt noch gebraucht. Die beiden Knechte sattelten dann langsam auch die anderen Pferde, ohne zunächst die Gurten anzuziehen. Des Herrn „Destrier" oder Schlachtross blieb jedoch mit Decke und Halfter, wie es war; Herr Ruy ließ dieses schwere Pferd, nach allgemeiner Gepflogenheit, meist ledig gehen auf der Reise und ritt über Land ein anderes, einen kleinen und leichten Braunen. Gauvain schwätzte und murmelte ins Ohr seines Gaules – „Beaujeu" hieß er – während des Sattelns. Der Bube hatte sechzehn Jahre. Die Pferde der beiden Knechte waren ganz schwer, ausdauernd und kaltblütig, ebenso wie die Tragtiere, von denen jedes kaum eines halben Reiters Last auf dem Packsattel hatte, weshalb man sie bei langen Ritten auch als Reitpferde zur Ablösung heranzog, wenn die anderen Tiere zu sehr ermüdeten. An den Sätteln der Knechte und des Buben hingen kurze Bogen in ihren Ledertaschen und daneben der mit Pfeilen gefüllte Köcher.

Während Gauvain und die beiden Burschen sich am nahen Bache – wo sie auch die Tränkeimer gefüllt hatten – wuschen und dabei frisch und munter wurden, kam Herr Ruy endlich in Bewegung und aus den Pelzen. Er richtete sich empor, sah hinüber auf den tintigen Wald und den rosigen Fels, steckte zwei Finger in den Mund und pfiff. Gauvain kam mit den Knechten gelaufen. Zwischen den Stämmen erglühten rötliche Bahnen bis tief in den Wald hinein. Der Sonnenball hatte sich, rein und rund, über den Himmelsrand erhoben.

Eine halbe Stunde später, nachdem die Morgensuppe verzehrt worden und jeder einen Mundvoll Wein aus dem Schlauch bekommen hatte, ritten sie schon in den hier ebenen Forst ein, der sich bald um sie schloss; und damit ließen Herr Ruy und die Seinen, einmal auf dieser waldigen Hochfläche angelangt, des offenen Vorlandes Wiesen und Weiden hinter sich. Es gab hier eine Art Weg zwischen den Stämmen, der sogar breit war, aber nirgends mehr ausgefahren oder ausgetreten schien, weich vom Moose, da und dort mit Gebüsch wieder bewachsen. Voran ging Herrn Ruys Brauner seinen munteren Schritt, dessen Reiter nur das leichte und anschmiegsame Kettenhemd trug, jedoch keinen Helm, sondern den Kopf mit den dicken schwarzen Haaren unbedeckt. Die rote Stechstange, die er auf den rechten Bügel gesetzt hielt, begleitete und übertrieb mit den Bewegungen ihrer Spitze jeden Schritt des Rosses. Links neben dem „Banier" ritt Gauvain, und in einigem Abstande folgten die Knechte, jedoch ohne die Handpferde zu führen, denn diese trotteten gemächlich an langen Leinen hinterdrein.

„Hier also ist der Weg!" rief Gauvain. „Von dem wußtet Ihr schon durch den Spielmann."

„Ich kann nicht sagen, daß ich was wußte", antwortete Ruy langsam. „Ich kann nur sagen, daß mir der Spielmann davon erzählt hatte. Aber solche Erzählungen sind allermeist eine windige Wissenschaft."

„Doch diesmal nicht."

„Wir wollen zuwarten", meinte der Spanier. „Aber wenn er sonst ebenso recht behält wie mit dem Wege hier, dann sieht's fein her."

Die Augen des Buben glänzten dunkler, wie das bei Menschen von starker Vorstellungskraft zu gehen pflegt, wenn ihnen ein Bild lebhaft und erregend vor den inneren Blick tritt.

„Wir werden", rief er dann, sich im Sattel aufrichtend, „den Wald durchreiten, sei er so tief er sein mag, und den Wurm schlagen, wenn er auch noch so groß ist und nicht nur sechzig, sondern hundert Pferdelängen mißt, und wir werden so die Bedingung dieser Herzogin erfüllen und nach Montefal kommen, man wird die Trompeten blasen, und Ihr werdet Lidoine zur Gemahlin nehmen. Werdet Ihr sie auch lieben?"

„Wie soll ich denn das wissen?" sagte Ruy lachend und verbarg hinter dem Lachen die unbehagliche Erkenntnis seines völligen Alleinseins neben diesem fröhlich vor sich hinträumenden Kinde; und vielleicht auch des Aberwitzes der nun beginnenden Unternehmung; denn so ganz ungläubig war er nicht in bezug auf des Spielmanns Bericht.

Der Wald glich einer ungeheuren leeren Säulenhalle. Die, trotz der genossenen reichlichen Mahlzeit, doch nüchterne Verfassung des so frühen Morgens ließ Herrn Ruy alles noch deutlicher und klarer empfinden: jeder Hufschlag, das Jauken des Lederzeugs, das Wiehern eines Packpferdes rückwärts, das alles trat einzeln und begrenzt in die umgebende Stille. Kein Wind streifte die Wange. Reglos blieb das Geäst, blieben die langen Bärte von Moos an den hellen Stämmen, von denen Reihe auf Reihe seitwärts in die Augenwinkel trat und nach rückwärts entschwand, dann und wann an einem langen Sonnenstrahle bis in verwobene Waldestiefen hineingereiht und durch ihn verbunden, wie die Saiten einer Harfe von der hervorlaufenden Tonleiter.

Nach vielen Abenteuern eines Herumirrens, das, wie es schien, dem bereits sinkenden Stande noch immer für angemessen gehalten wurde, ritt man hier einer wohl möglich letzten Aventüre entgegen, und keineswegs nur in dem Sinne, daß dahinter der Tod stehen konnte oder andernfalls bloß die zutiefst ernüchternde Einsicht in die

Schwindelhaftigkeit aller jener gehörten Erzählungen: sondern das wirkliche, das große Abenteuer hätte noch immer diesem Umhergeworfensein hintnach seinen Sinn zu geben, ja den Sinn des eigenen Lebens überhaupt erst aufzudecken vermocht. Man war nun ein Mann von vierzig Jahren, und dieses Alter ist ein in gewisser Hinsicht geheimnisvolles, sonderlich wenn einer noch nirgends sich festgelegt, noch nirgends den Kahn endgültig angebunden hat. Man war ein Mann von vierzig Jahren, der selten durch längere Zeit an einem Orte gelebt und also auch kaum Freunde erworben hatte. Das Pferd nickte und schritt, die rote Stechstange zeigte seine Bewegungen an. Man war allein.

Man war allein und man trug eine ausgebreitete Welt in sich: aus Türmchen und Giebelchen der Städte, aus Waldtälern, aus Burgen, die klein und wie ein scharf geschliffener Stein im westlichen Sonnenglast saßen, fern über dem stäubenden Straßenband; eine Welt, in die auch, sie gleichsam anhaltend und beendend, da oder dort, bei erreichter Küste, das blaue Meer eintrat, welches dem Menschen nichts übrigläßt zu tun, als daß sein Auge sich hinausverliere; und viel später erst denkt er dann ein Schiff zu finden. Die Erde im Heiligen Land war gelb, wie auch die Mauern der Städte dort, und in den Gefechten das Kriegsgeschrei des bunten, bräunlichen Feinds so durchdringend, wie man derlei vorher noch nie gehört hatte. Der Hof des Königs jedoch beendete die Welt in ähnlicher Weise wie das Meer und hielt sie an: denn in stillen Räumen gingen die Frauen ganz unter Glas, welches sie dann ganz durchbrachen. Hier quoll es heut noch wie Rauschgift aus dem Gedächtnisse, von manch einer Schläfe unter der Haube von Spitzen und Gold oder von einem gerafften Kleid. Am tiefsten

Grunde dieser Vorratskammern der Vergangenheit aber schimmerte da oder dort ein Punkt, ein Haus etwa, ein vergessenes Zimmer oder eine Landschaft, wo man wohl einst gewesen sein mußte und wohin man sich zugleich doch immerfort bewegte: da gab es saftige Talgründe, von geruhigen Bächen durchzogen, darin sich das Grün des Ufers verdunkelte im Widerspiegeln ...

„Was war denn der Spielmann für einer und wie sah er denn aus?" – so ließ sich jetzt Gauvain wieder vernehmen – „das wollt ich Euch schon lange fragen."

„Der Spielmann ...", sagte Ruy in seiner langsamen Art und schwieg.

„Ja, der Euch von Montefal erzählte, und der auch das Lied gemacht hat, welches Ihr mich lehrtet."

„Er war ein bemerkenswerter Mann, auch neben seiner Kunst noch, und sah mit ein wenig schrägen Augen fast drein wie ein Sarazene. Zudem hat er mit dem Bogen vortrefflich umzugehen gewußt." Und Herr Ruy wies mit einer Bewegung des Kinns auf das an Gauvains Sattel hängende Schießzeug. „Seines Standes war er wohl mit dir gleich, sein Vater dürfte ein ritterlicher Dienstmann gewesen sein. Den Namen hab ich, wie du weißt, seltsamerweise vergessen."

„Und die Burg Montefal gibt es also wirklich und die Herzogin Lidoine und das ‚verschlossene Land', wie Ihr sagtet?"

„So heißt es jedoch erst seit einigen Jahren, seit nämlich der Drache hier aus den Wäldern aufgetaucht sein soll. Ja, Herzogtum, Burg und Lidoine gibt es in der Tat, denn ich habe mit dem Gesandten der Herzogin bei Hof einst persönlich gesprochen. Das steht mir demnach außer Zweifel; zudem weiß es auch sonst jedermann."

„Ob sie noch lebt?“ sagte Gauvain nachdenklich, der nicht nur hinsichtlich des Drachen, sondern, wie es schien, auch in bezug auf Montefal und dessen Herrin allzu gerne versichert gewesen wäre.

„Doch“, sagte Ruy gleichgültig.

„Wie kann man das aber wissen? Woher kann die Kunde kommen, aus dem ‚verschlossenen Land‘?“

„Du hast mich mißverstanden, mein guter Bub“, sagte Ruy. „Das Land ist nur verschlossen nach einer Seite, nämlich nach jener hin, von der wir darauf zureiten, durch den Wald und, wie man sagt, vor allem durch den Drachen. Sonst liegt es wohl offen gegen die Welt.“

„Ja, aber, hört, Herr Ruy – dann kann Euch doch jeder zuvorkommen?!“ Gauvain hatte sich ganz im Sattel herum und seinem Herren zugewandt.

„Nein, wie es heißt – will Lidoine durchaus nur einem Helden die Hand reichen. Weißt du eigentlich was – ein Held ist, Gauvain?“

„Ja, doch – warum, Herr?“

„Ich hätt’ es gern erfahren. – Nun: sie verlor vor mehreren Jahren ihren zweiten Gatten. Dabei ist sie noch jung. Sie verschwor sich, oder sie gelobte – nur einen Mann zu nehmen, der diesen Drachenwald durchschritten hätte.“

„Und der Gesandte damals am Hof des Königs – wußte der nichts vom Drachen?“

„Nein, das konnte er wohl nicht; denn ihn sprach ich noch zu Lebzeiten von Lidoines zweitem Gemahl, und der Drache tauchte merkwürdigerweise erst auf, als sie schon Witwe geworden war.“

„Ach – und das ist vielleicht gar nicht lange her?“

„Doch. Du siehst es an dem Wege hier, welchen mir der Spielmann so zutreffend beschrieben hat. Einst war das eine befahrene Straße nach Montefal. Heut, seit die Angst vor dem Untier sich verbreitet hat, wächst Moos und Strauch darüber, und ist inzwischen nicht wenig gewachsen, wie du siehst."

„Dann wäre also des Spielmanns Erzählung von dem Drachen ...", sagte Gauvain, brach ab, und seine Augen verdunkelten sich wieder. „Wann waret Ihr bei Hof und wann sprachet Ihr also mit dem Gesandten der Herzogin?" fügte er nach einer kleinen Weile hinzu.

„Es sind acht Jahre her, seit ich zum letzten Male zu Hof gefahren bin."

„Acht Jahre!" rief Gauvain. „Ich bin sechzehn. Also mein halbes Leben. Ich war zu jener Zeit noch ein Kind."

„Das bist du wohl heute noch, Gauvain", sagte Ruy, „wenn auch zugleich schon ein angehender Rittersmann. Kommen wir schön durch, dann wird man dich auch am Hofe der Herzogin zum Ritter schlagen. Als Gemahl für sie bist du allerdings etwas jung. Immerhin. Ich dagegen habe vierzig Jahre, bin demnach weit mehr als doppelt so lange auf dieser Welt wie du. Als du in Windeln lagst, war ich längst Ritter."

Gauvain sah seinen Herrn völlig verwirrt an. Erst nach einer Weile kam ihm sozusagen die Luft wieder:

„Zweimal so lange auf der Welt als ich – und mehr noch ...", sagte er, und dann: „Ihr werdet doch die Herzogin heiraten, Herr Ruy?!"

„Das wäre vor allem mit dem Lindwurme abzumachen", meinte der ‚Banier' und lachte kurz auf.

Immer gingen die Pferde den gleichen Schritt, dazwischen ward wieder ein kurzes Stück getrabt, und dann bewegte sich wie früher vorne die Spitze der roten Stechstange im langsamen Zeitmaße. Der Weg blieb, wie er war, schweigsam wanderte der Wald vorbei, am dritten und vierten Tag wie am ersten. An kleinen Bächen fehlte es nicht, man hörte sie meist von weither schon in diesen stillen Räumen murmeln. Der Weg stieg flach an, fiel ebenso wieder ab, führte wieder eben hin. Er bog kaum, man sah ihn weit entlang: ein Band von Moos und kurzem Gras, darüber das Band des blauen Himmels zwischen den Wipfeln.

Es öffneten sich lichte Wiesen da und dort, die Stämme traten auseinander, die Weide für die Pferde war gut.

Gauvain hatte vorlängst, des Abends beim Lager am Waldrand schon, eine seltsame Art von Vögeln bemerkt, die nun häufiger zu werden begannen: fette, starke Tiere, wie Kropftauben, jedoch weit größer, und mit mächtig langen, weich herabhängenden lockeren Schwanzfedern geziert, deren Farbe manchmal der des Goldes ganz gleich schien. Sie pflegten zu mehreren nebeneinander auf den unteren Ästen regungslos zu sitzen, waren nicht scheu und erhoben sich auch nicht bei Annäherung der Reiter. Irgendeinen Laut oder Ton, einen Pfiff oder ein Gurren bekam man von ihnen niemals zu hören, sie schienen wie stumm. Herr Ruy forderte einmal, als sie wieder unter solch einer weiß-goldenen Schar, welche auf den Ästen saß, durchritten, einen Pfeil daran zu wenden; denn, so meinte er, vielleicht gäben die fetten Burschen einen guten Braten. Gauvain nahm aus seinem Köcher kein scharfes Geschoss, sondern eines mit rundem Kopfe, wie man's zur Vogeljagd braucht, spannte, zu Pferde sitzend, geschickt den kurzen Bogen, das untere Horn gegen den Schuh drückend, hob die Waffe, schoss und traf: eines der Tiere fiel, zappelte jedoch nicht mehr, sondern lag durch den Aufprall des Stoßpfeiles allein schon verendet. Ein so wenig zähes Leben dieses großen

Tieres schien Herrn Ruy verwunderlich; noch mehr aber, daß die anderen zumeist ruhig auf den Ästen blieben, auch als Gauvain weitere Pfeile schoss, von denen noch zwei ihr Ziel erreichten. Ein Knecht saß ab, brachte die Vögel und suchte die verflogenen Pfeile zusammen. Gauvains Jagdbeute griff sich gleich vielversprechend an, fleischig und stark. Am Feuer wurde abends gebraten. Und von da ab täglich.

Herr Ruy ritt mit dem Buben oft vom Wege, in die Tiefen des Waldes, wärend die Knechte gemachsam und plaudernd weiterzogen; diese Umritte, welche nach weitem Bogen wieder zur Wegspur führten, zeigten anfänglich den Wald überall fast gleichartig, licht und leer, mit wenig Unterholz. Doch schienen während der letzten Tage die Stämme da und dort näher zusammengerückt, auch sperrten jetzt Jungwald und Dickung häufiger den Durchgang für die Pferde. Der Boden wurde unebener. Bald ging es auf dem Wege lange Strecken bergan.

Und nun dauerte dieser Ritt durch die allseits umschließenden Wälder in den zehnten Tag.

So lange schon wurde jeder Fernblick entbehrt. Man zog wie auf dem Grund eines tiefen Wassers dahin, das unendlich schien wie das Meer, jedoch regungslos wie ein Felsgebirg. Über den Kronen strahlte der Himmel heiß und blau, kein Zweig bewegte sich, die Sonne griff steil oder schräg durch die Äste, warf ihr Schattenspiel auf den Waldboden, glühte des Abends, emporrückend, an den Stämmen.

Seltene, aber starke Rudel von Rotwild tauchten auf, Gauvain und der eine von den Knechten konnten jeder einen Bock erlegen.

Des Nachts ward die Wache durch das Los ohne Unterscheidung von Herr und Knecht verteilt. Wer an die Reihe kam, saß mit bereiten Waffen beim glimmenden Feuer, den schussfertigen Bogen zur Hand; die anderen schliefen meist tief, durch den Ritt des Tages ermüdet. Die Nächte waren hier tonlos still. Jedes kleinste Geräusch mußte da den Wachenden erregen, wenn er zwei Stunden hindurch in die Dunkelheit gestarrt hatte: eines Vogels seltenes Flattern oder das Fallen eines Zweigleins ließen die Hand nach dem Schwertgriff tasten.

Untertags aber ritten sie, wenn auch gemachsam wegen der langen Fahrt, so doch mit nur geringen Unterbrechungen.

Immer häufiger verließ unterdessen Herr Ruy mit Gauvain zusammen den Weg, tief in die Wälder eindringend; eines Tages sagte er dabei: „Nun bin ich, scheint es, wahrhaft zum irrenden Ritter geworden, denn mir ist, als sollten wir nie mehr aus diesem Wald gelangen und als ritte ich darin ein halbes Jahr.“ „Es ist schön hier“, antwortete der Bube. Sie hielten eben vor einer tiefgrünen Dickung aus jungen Bäumen und Sträuchern, den Weg für weiteres Vorwärtskommen suchend. Als sie das Hindernis umritten hatten, öffnete sich vor ihnen eine längst ungewohnte Weite: es war der Spiegel eines schmalen, langgezogenen Sees, der hier hinausfloh, sich allmählich verbreiternd, die geschlossenen Wälder solchermaßen aufspaltend. Die Bäume am anderen Ende sahen ganz klein aus. Wie ein graugrünes Band grenzte ringsum das Schilf ans offene Wasser.

„Sieh!“ rief Ruy heftig und wies in die Höhe über dem anderen Ende des Sees.

Dort erhob sich der Wald in einer Lehne, die nach obenzu steiler ward und den Anfang einer Kette von Erhebungen zu bilden schien. Weiter rückwärts sah man die

Bäume am Kamme einander übersteigend emporwandern. Es war dunkler Nadelwald. Aus ihm stieß da und dort auch unbewachsener Fels.

„Endlich werden wir sehen, werden wir Ausblick haben, endlich steigen wir aus der Tiefe!“ rief Gauvain. Das Drückende dieser letzten Tage, bisher verheimlicht und niedergehalten, befreite sich nun bei ihm ganz ebenso wie bei seinem Herrn. Sie wandten die Pferde, ritten eilig zurück zum Wege, um den Marsch gegen die Höhen zu beschleunigen: auch die Knechte zeigten sich durch die Nachricht belebt. Man setzte die Pferde sogleich in frischen Trab.

Des Abends lagerten sie schon am Beginn der ersten Hügel, im ansteigenden Nadelwald. Herr Ruy rieb sich die Hände am Feuer. Sein Wesen schien verändert und erregt.

„Von dem See“, sagte er plötzlich zu Gauvain, „hat mir gleichfalls der Spielmann erzählt. Deshalb ritt ich in den letzten Tagen so viel durch den dicken Wald und abseits, um diesen See nicht zu verfehlen, denn unser Weg führte anderwärts. Das wußte ich. Ich wußte auch von den Höhen und den Felszähnen, die wir gesehen haben.“

Gauvain schwieg. Sein Herr wurde gesprächig.

„Er scheint nicht geflunkert zu haben, dieser Seltsame“, sagte er. Und dann erzählte er plötzlich vielerlei von dem Spielmann, worauf er sich jetzt erst besser zu besinnen schien. So etwa, daß jener einen Pfeilköcher geführt habe, mit zahlreichen Bildern geschmückt, von denen jedes ein gehabtes Abenteuer sehr kunstvoll darstellte. Die innere Seite seines Bogens aber sei mit geheimen Zeichen bedeckt gewesen, jegliches so inhaltsreich an Bedeutung wie ein ganzes Buch, und zusammengenommen hätten sie eine richtige Wissenschaft ergeben.

Und damit verstummte Herr Ruy und trat ein wenig abseits des Feuers in den tiefen weichen Schatten zwischen den Stämmen.

„Singt uns was, Herr Gauvain“, bat einer von den Knechten.

„Ja!“ rief Herr Ruy von rückwärts, „sing, Gauvain! Sing das Lied des Spielmanns!“ Seine Augen leuchteten plötzlich rund und schwarz im Schein der Flammen.

Der Bube zog die Laute aus dem Sack, stimmte, spielte und sang:

Es zieht die Ferne,
es glüht die Nähe,
wie Edelstein schimmert des Waldes Grund.

Leicht sitzt die Klinge,
die sausende – singe, o Leben,
dein Summlied mir, o Geheimnis,
küsse im tiefen Wald meinen Mund.

Die frohen Fernen, härtere Herbste,
weitere Bahnen, des Mannes Leid;
gestreut im Lande, am Straßenbande,
die Burgen, die Dörfer weit.

Und Gefechte und Fahrten
und frohes Erwarten der hellen Trompeten
des Morgens frühe –
Leicht geht die Hand, und nichts wird mir Mühe –
o gestreut im Lande, am Straßenbande,
die Hügel, die Wälder weit!

Die letzte Strophe sang Herr Ruy mit.

Unmittelbar auf das geendete Lied antwortete ein

Ton von weither aus der Ferne der Wälder. Es war ein tiefes Brummen, als zittere und schwinge der Boden.

Gauvain sprang auf die Beine.

Die beiden Knechte saßen regungslos. Auf ihren erbleichten Gesichtern schwankte der Flammenschein.

Endlich ermannte sich der eine und sagte:

„Das klang ja fast wie Herrn Rolands Horn zu Roncevall!"

Alle schwiegen.

„O Spielmann!" flüsterte Herr Ruy heftig für sich.

In dieser Nacht schlief niemand ganz geruhig, und wer die Wache hielt, konnte immer eine flüsternde Ansprache finden.

Man brach früh auf. Der Weg, hier schon teilweis mit braunen Nadeln federnd bedeckt, zog sich die Höhen entlang und mäßig bergan. Ruy und Gauvain, begierig nach einem Ausblicke, ließen die Knechte dahinten, und als sie den Weg seine Richtung beibehalten sahen, schlugen sie sich nach links in den zunächst noch flach ansteigenden Wald. Hier mischten sich wieder Laub- und Nadelgehölz, was den Boden zwar weniger glatt machte, jedoch durch Dickungen das Fortkommen erschwerte. Herrn Ruys „Destrier" – diesen ritt er jetzt, und in vollen Waffen – schritt gemachsam und trittsicher, auch als der Anstieg steiler wurde, und ebenso geschickt hielt sich „Beaujeu".

Gleichwohl waren die beiden Reiter nach einiger Zeit gezwungen, abzusitzen und die Pferde am Zügel zu führen: denn der Hang wurde jäh. Zwischen den Bäumen zeigten sich oberhalb bemooste Felsen, Schutt und einzelne Blöcke.

Hier nun öffnete sich ein Riss, der flach emporführte

entlang einer vorhängenden und gewundenen Felswand von geringer Höhe, über deren Kante die Wurzeln der obenstehenden Bäume zum Teil ins Leere griffen, gekrümmt wie herabkriechende Schlangen. Kraut und Gras, Blumen und Farne wuchsen überall auf des Gesteins Stufen und aus dessen Löchern. Ruy und Gauvain drangen langsam vorwärts in dieser ausgewaschenen Rinne zwischen dem Fels auf der einen, der steilen Böschung von schwarzer Erde auf der anderen Seite. Jeder zog sein Pferd am Zügel hinter sich her. Die Hitze stand gesammelt in dem Graben, der Staub vom herabgestürzten Kalkgestein unter dem Fels hob sich bei jedem Schritt, und in der dicken und dichten Stille hier klang das Scharren von Fuß oder Huf seltsam gepreßt. Indem hatte plötzlich die Rinne ein Ende. Der Blick wurde frei auf eine baumlose Kuppe, mit kurzem Almgras bestanden. Ruy und Gauvain saßen wieder auf und durchritten schnell das letzte sanft geneigte Stück bis zu dem schon beinahe ebenen Gipfel.

Von hier war der Ausblick in der Tat ein vollkommener.

So weit nur das Auge sehen mochte, wanderten die Hügel, unter dunklen Wogen des Nadelwalds, der wie Moos über ferne Kuppen zog, oder von dem helleren graugrünen Schaum der Laubwälder bedeckt. Und, sonderlich dort rückwärts, woher man gekommen war und wo das Meer der Baumkronen flach hinwegfloh bis an den Himmelsrand, schien alles in lichterer Farbe zu ruhen. Gegenüber aber, am Beginn des Gebirgszuges, stand da und dort ein vereinzelter Felskegel nackt über die Bäume hinaus, starrte ein Zahn, zog sich ein langer Zackenkamm über den nächsten Gipfel. Hier sah man die Tannen auf waldigen Graten emporwandern, einzelweis einander übersteigend, und hinter ihr dunkles Geäst legte sich die Ferne eines blassen Himmels, der schon den hintersten Bergen angehörte.

Die beiden Reiter hielten schweigend auf der Kuppe.

Sie konnten rechts unten den ansteigenden Strich des Weges durch die Wälder ausnehmen, viel näher ihnen, als sie vermutet hätten; und nun sahen sie auch, daß der Gipfel, auf welchem sie da hielten, wahrhaft bequemer wäre zu erreichen gewesen. Denn um von hier nach vorwärts wieder auf den Weg zu kommen, der ja inzwischen auch an Höhe gewann, dazu mußte lediglich eine flache Senkung mit lichter stehenden Bäumen bergab durchquert werden.

Eben begannen sie von diesen Beobachtungen zu sprechen, dazwischen wieder den Blick da oder dort in die Fernsicht lehnend, als Herr Ruy mit kurzem Rufe den Arm hob, auf den Felskamm über dem nächsten Gipfel weisend.

Ein Teil dieser grauen Zacken bewegte sich, wenn man genauer hinsah.

Unter dem Blau des Himmels hier, in dieser lichten und dichten Stille, setzten für einen Augenblick Herzschlag und Atem aus.

Unterdessen hatte sich ein Teil des Grates drüben noch mehr verschoben, und nun freilich konnte man's schon trennen: was nämlich dort Fels war und was einem lebenden Wesen angehörte.

Gleich wurde solches noch deutlicher: eine Rundung erhob sich über dem Stein, die seinen schrofigen Formen fremd war – nun schon ein Bogen, der unter sich durchsehen ließ: und dann wuchs der wohl fünfzig Fuß lange Schlangenhals des Tieres über dem Berg, langsam vor dem blauen Himmel pendelnd, mit Windungen und Drehungen gleichsam in den Lüften tastend, plötzlich jedoch wieder eingezogen. Jetzt kam dort, auf oder hinter dem Felskamme, ein Langgestrecktes in Bewegung. Denn von überall her kollerten die Steine in den Wald hinab, schlugen schallend auf den schon unten liegenden Schotter, polterten dann und wann dumpf gegen die Bäume, welche zwei Arten ihres Aufschlags deutlich genug zu unterscheiden waren. Indessen, wie wenn eine Schlange ins Gras kriecht, begannen nunmehr rechts vor dem Felskamm die Wipfel zu zucken, zu zittern und endlich heftig zu schwanken, und in dem Augenblicke, als auch schon das Knacken und Brechen einzelner Stämme deutlich vernehmbar wurde, sahen Herr Ruy und Gauvain zum ersten Male den langen Rücken des Wurms mit seinem riesenhaften Zackenkamm hoch wie ein Kirchendach zwischen den Baumkronen dahinwandern.

Längst waren die Pferde unruhig geworden.

„Zum Weg!" rief Ruy und gab seinem Tier die Schenkel.

Sie ritten, so schnell es gehen mochte, über den Almboden und hinab durch den Wald. Am Wege mit den schnaubenden und tänzelnden Rossen endlich angelangt, sahen sie weit unten die Knechte und Tragtiere herankommen. Um diese sich zu bekümmern blieb keine Zeit. Schon hörte man von links, von der Höhe her, den Wald wie sturmgepeitscht aufrauschen, schon klang hell und dumpf das Splittern, Brechen und Fallen einzelner Stämme.

„Beaujeu" und der „Destrier" standen steil auf der Hinterhand.

Herr Ruy glitt rasch aus dem Sattel. „Hierbleiben und die Pferde halten!" herrschte er Gauvain an, der eine Bewegung machte, wie um seinem Herrn zu folgen.

Der Lärm kam näher. Ruy stieß die Stechstange in den Waldboden. Noch einmal wandte er sich um, sah den Buben mit den tobenden Pferden kämpfen. Dann riß er das blanke Schwert heraus und rannte den Weg entlang.

Er rannte – dies war die einzige Möglichkeit, sich selbst blindlings dem entgegenzutreiben, was jetzt von links vorne, den Hang herab, mit Krachen und Rauschen auf diesen Weg herunterkam. Er rannte über den glatten braunen Boden und sah dabei jede einzelne Nadel. Noch zog sich die Wegschneise leer in den Wald.

Doch fielen jetzt, etwa hundert Schritte vor Ruy, erst zwei und dann mehrere stürzende Tannen querüber. Sie fielen langsam, prellten dumpf mit dem erschütterten Wipfel auf und blieben still.

Wie spitze scharfe Kristalle erhoben sich in Ruy während des Laufens – und zu seiner eigenen Verwunderung – Hohn, Geringschätzung, ja Verachtung gegen jene unbekannte Frau, die sich selbst in ihrer Torheit solcher Proben für wert hielt. Denn dort links vorn im Walde schien sich ja ein Berg zu versetzen!

Viel früher, und ihm viel näher, als Ruy von ungefähr erwartet hatte, war der Berg auch hierher auf den Weg versetzt, diesen versperrend.

Braun und faltig ragte das, von einem violenfarbenen Horne gekrönt, wohl in Manneshöhe.

Und Ruy hielt an. Nicht mehr als drei Schritte vor dem mächtigen Haupt des Wurmes, das auf dem Wege lag, während der endlose Hals sich zur Seite in den Wald bog. Des Tieres Augen waren jetzt geschlossen, lagen unter mächtigen Panzerdeckeln, so wie alles hier schwer und tief in Panzern lag, in Falten, Kämmen, Buckeln und in Rillen, worein man schon einen Arm hätte verbergen können.

Und wogegen ein langes Schwert zum kleinen Stichel wurde, gerade gut, die Faust um seinen Griff zu krampfen.

Dies erkennend, sah Ruy zugleich in seinem Inneren eine weite und lichte Leere, wie jemand, der ein Haus noch nicht lange bewohnt und eines Tages darin neue, bisher nicht bemerkte und betretene Räume entdeckt.

Er fiel und flog mit großer Schnelligkeit durch diese ungekannten und ungenutzten Kammern seiner Seele, und während solchen immer rascheren Dahinsausens – welches ihn geradezu ein Aufprellen fürchten ließ – erkannte er, daß dort, wo jetzt nichts war, die Todesangst hätte wohnen sollen. Er aber ruhte völlig, in dieser Lage hier, vor dem braunen Gebirg mit dem großen violenfarbenen Zacken stehend, und wartete, wie hinter ihm, etwa zwischen den Schulterblättern, all sein Leben, wo und wie immer gelebt, als ein kleines Gepäck sich versammelte, das er bald über den Rücken konnte abrollen lassen. Er wartete darauf.

Und überdies: statt in seinem Fluge aufzuprellen, bot sich dieser Bewegung jetzt in räumiger Tiefe eine neue Bahn.

Es waren die Augen des Wurms. Sie hatten sich groß geöffnet.

Wie zwei kleine Waldtümpel lagen sie vor Ruy, deren brauner, mooriger Grund, durch die Sonne herauftretend, doch die ganze schwindelnde Tiefe des Himmels weist, die er spiegelt. So tief führten diese Augen hinein, und wie durch Wälder, welche nicht in Tagen, Wochen oder Monaten, sondern in ganzen Jahrtausenden nur zu durchreiten waren. Sie umschlossen, wie der Wald von Montefal hier dieses eine Abenteuer, so alle auf Erden möglichen Abenteuer überhaupt, somit das ganze Leben, das in solchen Wäldern tief befangen blieb und in ihnen stand, wie der Traum in einem schlafenden Leibe: ein schwerer und süßer Traum, von Burgen und Dörfern, Gefechten und Fahrten, von der stäubenden Länge des Straßenbands auf Reisen, von einer Schläfe unter dem Häubchen von Spitzen und Gold, von dem im heftigsten Grün schimmernden besonnten Waldesgrund, und auch vom blauen Meere. Aber hindurch zog Herr Ruy durch solchen goldig-braunen Gang, der sich erweiterte und grün gesprenkelt war, mit vielen Einzelheiten: jenes Fleckchen wies eine ganze Landschaft, mit der leeren, großen, öden Mühle in einem sanften Talgrunde, drinn das Gras hoch und saftig stand am schlierenden und fließenden Spiegel des langsamen Baches, dessen Grund braun herauftrat bei einfallender Sonne ... Hindurch zog Herr Ruy, und er stieß für eines Atemzugs Länge auch aus diesem allergrößten Walde hervor und hinaus und wandte sich um und sah den Banier Ruy de Fanez darin reiten und mit seinem Knappen auf der von dünnem Almgras bewachsenen Kuppe haltend oder hier vor des Wurmes Haupt stehen: und jetzt war Herr Ruy ganz leicht imstande, mit seinem starken, bannenden Blicke alles, was dieser in Silber und Eisen schimmernde Mann, welcher da vor dem Drachen träumte, je erlebt haben mochte, alles zwischen dessen Schulterblättern als ein kleines Bündel zu versammeln: und – siehe da! – er befand es als leicht.

Dem Drachen seinerseits aber schien dieser eiserne Mann, der nur nach Stahl, Silber und Leder roch, wenig Freßlust zu machen. Vielleicht war er auch satt.

Jedoch die fest in die seinen stechenden Augen des winzigen Wesens bereiteten ihm wohl Unbehagen.

Er zog den Kopf um zwei oder drei Fuß zurück.

Herr Ruy aber, der glaubte, das Tier würde nun nach Schlangenart zustoßen, fiel aus all seinen versammelten Gesichten in die eigene rechte Faust, das Schwert blitzte auf, fuhr hoch, und im Vorspringen schlug er zu: wobei die Klinge, aufschmetternd, einen blechernen Ton gab, als hätte man mit ihr blindlings in einem Schotterhaufen oder in der Werkstatt eines Klempners herumgehauen; und dieses Geräusch verriet ihre Wirkungslosigkeit und Ohnmacht nur allzusehr. Jedoch flog etwas durch die Luft und seitwärts des Wegs ins Gebüsch: es war die Spitze von dem violenfarbenen Horne, welches der Drache auf dem Scheitel trug.

Dieser selbst aber schien zum Spielen nicht aufgelegt oder allzusehr verdutzt zu sein. Denn er wandte das riesige Haupt nach rechts vom Wege, und gleich danach zog das ganze Gebirg seines Leibes, vom langen Hals zum dachhohen gezackten Scheitelgrat des Rückenkammes anwachsend und mit der Endlosigkeit des Zagels auslaufend, an Ruy, der zurücksprang, vorbei, in einer einzigen schleifenden Windung, die, in Ansehung der Masse und Größe des Tiers, von vollendeter Anmut genannt werden mußte. Und schon brauste es splitternd und krachend durch den Wald nach rechts bergab und davon, eine verwüstete Schneise hinter sich lassend, mit einer Schnelligkeit, der man kaum zu Ross hätte folgen können.

Herr Ruy stand und betrachtete sein Schwert, das zwei Scharten zeigte. Der rechte Arm war noch steif vom Aufprellen.

Er stand lange. Hinter ihm klirrte es. Er drehte sich herum, sah seinen Knappen Gauvain, dessen Antlitz entsetzlich bleich war vor der braungrünen Tiefe des Waldes, sah die Knechte, die scheu abseits standen und ihren Herrn betrachteten wie ein übermächtiges Wesen, sah die Reitpferde, die Tragtiere. Gauvain kniete vor ihm und küßte die Hand, welche das Schwert hielt, Ruy fuhr ihm mit der Linken durch das Haar. Er brachte das Schwert ungelenk in die Scheide.

„Ihr seid der größte Held aller Zeiten!" rief Gauvain, noch immer kniend. „Ihr schlugt den Drachen vor unseren Augen in die Flucht ..."

Ruy trat zu dem „Destrier" und klopfte dessen Hals.

„Wir reiten ... und dann lagern wir bald", sagte er endlich. „Dorthin ...!" Er wies die Richtung, aus der sie gekommen waren.

Gauvain starrte ihn betroffen an. „Montefal ... die Herzogin ... und vielleicht hat der Wald dort hinaus früher ein Ende! Anders müßten wir ja an drei Wochen reiten ...", brachte er schüchtern hervor.

„Meinetwegen", antwortete Ruy. „Nun denn, aufgesessen, nach Montefal!" Sie ritten im Trabe davon, trotz der Steigung des Wegs, welche hier für ein Stück noch anhielt.

2.

Acht Tage etwa nach der Begegnung mit dem Herrn und Mittelpunkt der Wälder schlugen sie das Lager auf einem flachen, nur mit wenigem Busche bestandenen Hügel. Und am nächsten Morgen, nach kaum halbstündigem Ritte, begannen die Stämme immer weiter auseinanderzutreten, als wichen sie vor dem Drucke der heranströmenden offenen Fernen: des Waldes Ende wurde unzweifelhaft. Ruy schickte einen Späher zu Fuß, und dieser kam bald gelaufen und berichtete vom weiten Land, in das man hinab und hinaus sähe, von Dörfern, Straßen und Kirchen, sonderlich aber von einer vieltürmigen und vieltorigen Burg, die dort im Tale liege.

„Es ist Montefal", sagte Ruy.

So ließ er denn jenes dreieckige Fähnlein, das ihm, als freiem Herren, gebührte, oben an die Stechstange setzen, nahm den Schild mit dem grüngoldenen Querband, welcher bisher rückwärts auf einem Packsattel gelegen, an den linken Arm und den Helm aufs Haupt und schlüpfte in die schweren Handschuhe. Der „Destrier" war indessen bereitgemacht worden wie zum Turnieren. Nun schwang sich Ruy hinauf. Die beiden Knechte hatten jeder aus dem Gepäcke ein silbernes Jagdhorn hervorgezogen: das hielten sie in die Hüfte gestemmt, so fröhlich und selbstbewußt zu Pferde sitzend wie seit langem nicht.

Und Gauvain trug jetzt sein bestes, ein anliegendes ledernes Wämslein und Beinkleid in seines Herrn Farben.

Dann ging's im Trabe und endlich im Galopp zwischen den Bäumen hervor.

Als sie nun draußen auf einer sanften Wiese hielten, als ihnen noch die neue Weite mit Einzelnem und mit Verschwommenem, mit scharf zu Sehendem und mit Dunstigem wie ein ungeheurer, grünblauer Bausch vor dem Gesichte lag – da schmetterte hinter ihnen, dreimal von den Knechten geblasen, die Fanfare der freien Herren von Fanez, welche derberen Vorfahren einst zu so manchem Jagdvergnügen erklungen war.

Fern, ja wie aus dem weitgespannten Sommerhimmel selbst kommend, antworteten nach wenigen Augenblikken bereits von den Zinnen der Burg unten im Tale viele und bald schärfer vernehmliche Rufe: die Trompeten von Montefal.

Es vergingen diese nächsten Wochen wie kurze Tage. Sie standen ein Weilchen nur still über dem dunstigen Himmelsrande – darein die Konturen einer, wie es schien, größeren Stadt schnitten, und Dörfer daneben, und dann wieder eine Burg – und schon war neuerlich eine von diesen Wochen herumgeschwungen bis zum sonntäglichen Hochamt in der Burgkapelle von Montefal, die schon eher eine große Kirche zu nennen war oder fast ein Dom und sich doch in der Weitläufigkeit dieses herzoglichen Sitzes verlor, darin mit ihrem dunkleren Gemäuer als ein einzelner Ton verschwindend, zwischen so vielen goldenen Dächern und Türmen aus weißem und hellgelbem Stein. Dazwischen gab es auch Kuppeln blau wie ein Blitz. Und Gärten und hängende Gärten auf diesem weitgedehnten Burghügel, schmale Gärten, die auf und ab an den hohen Außenmauern liefen, mit Treppen und Trepplein verbunden, in Erkerchen führend, verschlossen in Gängen, die innen mit blauer Lazur ausgelegt waren: und nun plötzlich fiel durch maurische Bogen der Blick hinaus, wenn man gerade um eine Ecke getreten war, überrascht von der schwindelnden Höhe, in welcher man stand, so daß Straße, Wall und Graben dort unten klein schienen. Unmerklich leiteten diese gewundenen Garten- und Bogenwege überallhin, bis auf die höchste Höhe des Schlosses, doch glaubte man kaum gestiegen zu sein.

Befangen war das Leben in dieser Wirrnis, die immer wieder neue und ungekannte Blumentiefen in den Gärten und bisher nie betretene, halbdunkle oder von Sonnenbändern durchwebte Riesenräume zeigte.

Es vergingen diese Wochen wie kurze Tage, aber zugleich war es, als fließe die Zeit überhaupt nicht mehr, und alles, was geschah, blieb auch weiter ganz gegenwärtig und in der stehenden Zeit hängen wie Rauch in regloser Abendluft oder die Wolken eines Sommerhimmels bei völliger Windstille: noch hörte Herr Ruy den Hufdonner auf der Zugbrücke unter sich beim Einreiten, über sich das Geschmetter der Trompeten im Torturm, sah auf dem weiten Hofe drüben die Treppen des Palastes sich absenken mit der angehaltenen Bewegung des wogenden Gefolges, dem sanften fettigen Glänzen vielen Brokates, dem silbernen Schein von Rüstungen, der schlanken zierlichen Frau mit dem tiefdunklen Haar inmitten, von der alle Abstand hielten, als stünde eine Gefahr um sie: nur er sprang vom Pferde und ging ihr geradewegs über die Treppen entgegen und stieg empor, und dem Klirren seiner Waffen war sie zwei Stufen herab sehr huldreich entgegengekommen. Auch sich selbst hörte er noch erzählen, wie sie es verlangt hatte, bei ihr sitzend in dem etwas kahlen Saal von Weiß und Silber; und die eigene Stimme hatte ihm sehr nüchtern geklungen, was der Art seines Berichtens allerdings durchaus entsprach.

„Ihr habt also den Drachen laufen lassen", sagte sie, und dann: „Wo habt Ihr jenes violenfarbene Horn?"

Als er ihr antwortete, es liege wohl noch im Gebüsch seitwärts des Weges, fühlte er zugleich ihren Blick wie eine Herausforderung.

Und all das konnte so gut heute oder gestern oder vor Monatsfrist gewesen sein. –

Ruy sah die Herzogin täglich, und zwei- oder dreimal wartete Gauvain bei ihr auf. Sie erlernte von dem „Ecuyer", dessen Ritterschlag bevorstand, das Lautenspiel.

„Euer Bube", sagte sie einmal zu Ruy, „erzählt das

Abenteuer mit dem Wurme so lebhaft, daß man vermeinen könnte, dabeigewesen zu sein. Er liebt Euch grenzenlos und verehrt Euch als einen Helden."

Im Dom, wo Gauvain die Waffenwacht gehalten hatte in der Nacht vor seinem Ritterschlage, donnerte die Orgel beim hohen Amt, und das Licht fiel von oben und seitwärts in steilen Kegeln und Bündeln durch den bläulich aufdampfenden Weihrauch. Lidoines Marschall vollzog die Zeremonie, und zwar mit Ruys Schwert: darum hatte Gauvain gebeten. Dann erhielt er von seinem gewesenen Herrn die Waffe zum Geschenk, welche noch die zwei Scharten wies, wie sie beim Schlag auf das Drachenhaupt ausgesprungen waren.

Und Herr Ruy hatte von da ab einen anderen Knappen. Dieser war der Sohn eines englischen Grafen, ein sehr kluges Kind, durchscheinend weiß von Haut und rötlich von Haar. Mit ihm spielte er Schach, auf einem Ruhebett liegend, draußen in den einander übersteigenden Gärten und Bogenwegen vor den Gemächern, die ihm zugewiesen waren, hoch über den hohen Mauern und über dem Land. Dann und wann hielt Ruy einen Bauern oder einen Turm lange zwischen den Fingern, jedoch sah er nicht auf das Brett, sondern an den Himmelsrand, in welchen dort drüben die Umrisse einer, wie es schien, größeren Stadt schnitten, und Dörfer daneben, und wieder eine Burg.

Der kleine Graf aber ließ sich nichts anmerken und war niemals verwundert, sondern nur mit dem Brettspiel beschäftigt.

Eines Abends sandte er den Buben um Wein. Als dann das Gefäß neben dem Schachbrett niedergesetzt wurde, sah er auf und fand Gauvain vor sich stehen, der dem kleinen Engländer draußen begegnet war und ihm den

Krug abgenommen hatte, um so seinem gewesenen Herrn noch einmal zu dienen. Hier stand also der junge Ritter, nun schon in den Farben seines eigenen Hauses, im langen Mantel, der rückwärts von den Schultern floß; und das Zeichen seiner Würde, der breite weiße Gurt von Hirschleder über dem Rock, trug Herrn Ruys einstmaliges Schwert.

„Das ist eine Freude, mein Freund. Setzt Euch", sagte Ruy und erhob sich.

Der „Ecuyer" war leise hinter Gauvain eingetreten und schenkte nun den Herren die Becher voll.

Von der weiten Aussicht konnte man fast nichts sehen. Alles verschwand im Gold schrägster Sonne, welches schon rötlich erglühte und das Grün der Pflanzen, die Farben der Blumen, die hier in dicken Gewinden an den Mauern kletterten, heftig aufleuchten ließ.

„Man lebt wie verzaubert hier", sagte Gauvain und sah in das verwobene Sonnengold hinaus.

„Ich kann verstehen, daß Euch so zu Mut ist", antwortete Ruy, ohne den Blick zu heben.

„Und Ihr?" fragte der Jüngling, durch den Ton in Ruys Antwort betroffen.

„Ich bin nicht verzaubert und werde es, wie ich sehe, auch schwerlich mehr sein."

„Es sind hier bei Hof nicht wenige Herren", brachte Gauvain nach einer Weile vor, „die es für eine große Ehre ansehen würden, wenn Ihr sie mit Eurer zu erwartenden Werbung bei der Herzogin betrauen möchtet."

„Man erwartet dies wohl mit einiger Ungeduld?"

„Es scheint fast so."

„Und mit Befremden über die vergehende Zeit?"

„Auch so."

„Ich sah sie im Auge des Drachen...", sagte Ruy plötzlich, und in das noch offene Erstaunen Gauvains hinein sprach er jetzt rasch weiter, indem er für einige Augenblicke auf dem Ruhebette Platz nahm, um dann wieder aufzustehen und gleichsam in den Abend hinauszureden... „Ich sah sie dort, Lidoine, wie eben alles, was mein Leben enthält, dicht gedrängt und, wie es scheint, das Zukünftige ganz ebenso wie Vergangenes. Für mich stand ihre Gestalt auf der Treppe, als wir einritten, ganz für sich da, klein, schmal, dunkel, von keinem durchleuchteten Rand des Neuen umgeben oder wie aus einer anders geformten Welt sich absetzend. Montefal ist mir kein Abenteuer, aber auch kein Ziel mehr gewesen, das wußte ich hier gleich, noch bevor ich aus dem zweiten Bügel gestiegen war. Hier ist alles Licht dünn und klar. Das dort übrigens, jetzt aus der Abendglut hervorstechend, sind die Umrisse einer, wie es scheint, größeren Stadt... Verwundert Euch nicht, Herr Gauvain, aber ich sehe deutlich und viel einzelnes, und auch aus dieser Burg ein Stück hinaus, wo mich angeht, was den Himmelsrand schneidet. Aber es lockt mich nicht mehr. Das ist der Unterschied: gegen mein früheres Leben und auch gegen Eueres, wie es nämlich jetzt ist. Ihr könnt nach einer Frau Sehnsucht haben oder nach draußen, und auch beides zugleich ist nicht unmöglich, denn jener durchleuchtete Rand, von welchem ich früher sprach, kann um Länder ebenso gut sein wie um einen einzelnen Menschen, ja er umgibt zuweilen auch das oder jenes Ding oder eine langvergessene Örtlichkeit..."

Gauvains Augen waren dunkler geworden; und die Spannung in seinem Antlitze schien über die Anteilnahme am Freunde hinauszugehen.

„Wir kommen spät zu dem, was unser Leben ausmacht

und immer ausmachte", setzte Ruy fort, „zu der Mitte also. Ich sehe deutlicher, seit ich dem Drachen begegnet bin, einen grünen, saftigen Talgrund, von Bächen durchzogen, darin sich des Ufers Grün verdunkelt und vertieft, um einen Ton näher dem Schwarz und dem Braun vom Grunde des Wassers, welcher durch die Sonne herauftritt. Das Gras ist hoch. Es gibt Mühlen. Eine davon ist . . . öde und verbrannt."

Sie schwiegen beide. Die Sonne rückte bereits hinter die Zinnen und Kirchturmnadeln der Stadt am Himmelsrande.

Ruy trat rasch auf Gauvain zu und nahm ihn an den Schultern:

„Du trägst den weißen Gürtel schon", sagte er lächelnd, „jedoch du liebst wie ein Page. Ich aber werde reiten."

Noch standen sie so, und Gauvain hatte die Hand auf seines einstmaligen Herrn Arm gelegt, als über ihnen, von den Türmen her, ein rechtes Ungewitter aus den Trompeten brach und, während die Burg allenthalben mit merklicher Bewegung sich erfüllte, unaufhörlich und atemlos schmetternd als ein Katarakt über sie herein und ins Gehör stürzte.

3.

An derselben Stelle, wo vor vielen Wochen der Wald Herrn Ruy und die Seinen entlassen hatte, waren neuerlich Reiter aufgetaucht.

Das Abenteuer, welches nach Montefal führte, schien in ritterlichen Brauch gekommen.

Diesmal war es ein Deutscher, Herr Gamuret der Fronauer genannt.

Auch er mußte seine Fahrt und die Begegnung mit dem Wurme berichten, bei der Herzogin sitzend, in dem etwas kahlen Saal von Weiß und Silber. Ruy und Gauvain waren hinzugezogen worden. Der Fronauer, ein herzlicher Mann, mit einem blonden struppigen Krauskopf und von Wuchs wie eine Tanne des Waldes, erzählte, in lateinischer Sprache, welche man damals ja in aller Welt verstand, mit Behagen, Laune und hineingemischten deutschen Wörtern und ganzen Sätzen und unter häufigen herzhaften Zügen aus dem Becher:

„Seindmalen wir uns schon an die dreiundzwanzig Täg durch den Wald geschaukelt – weil man doch fast alleweil in Schritt reit, mein ich, bei der langen Fahrt – hätt ich keinen Glauben mehr an das Viechzeug und selle Geschichten überhaupts. Der Bub aber“ (er wies mit einer Bewegung des blonden Kopfes auf seinen hinter dem Stuhle stehenden „Ecuyer“, dem ein guter Verstand aus den lustigen Augen schaute), „der Bub aber hat wellen ums Verrecken den Drachen sehn und also mir gut zugeredet, sein wir links und rechts im Wald wie die Keiler durch den Busch gebrochen, aber nichts hat sich gerührt. Jedennoch hat's uns dann gut gelangt . . .“

So ging's weiter, ein behagliches, ein breites, und ‚alleweil‘ sprang der Knappe flugs und treu an seines Herrn rechte Seite, zu dem Tischchen nämlich, wo Krug und Becher standen, und schenkte nach.

Dem Fronauer wäre diese Fahrt ums Haar übel bekommen. Denn nahe der gleichen Stelle wie den Herrn Ruy stellte auch ihn der Wurm auf dem Wege, nur schien das Untier diesmal weniger schläfrig gewesen zu sein, sondern munter und zu einem fürchterlichen Spiel gelaunt, wenn auch glücklicherweise wiederum ohne Freßlust, was Männer von Leder und Eisen betrifft. Und

Herr Gamuret, der, ähnlich wie Ruy, den Buben und die Knechte bei den tobenden und also zum Gefechte ganz untauglichen Pferden gelassen, sah sich mitten im beherzten Vorlauf von dem Wurm, der seinen riesigen Leib zum Kreise schloss, umgeben wie von einem Wall, jedoch von einem laufenden, denn das Tier tollte in täppischer Weise um sich selbst und schien plötzlich darauf versessen, die eigene Schwanzspitze einzufangen – ohne im geringsten des Männleins von Stahl und Silber zu achten, das inmitten des weiten Zirkels stand und an welchem die hoch aufwachsenden und wieder absteigenden Formen des ungeheuren Rückens wie eine rennende Hügelkette vorüberzogen. Des Fronauers große Jagdrüden aber, von denen er viere bei sich hatte und die teils von inwärts des Ringes her, teils von außen sich in den Wurm verbeißen wollten – was an den Panzern und Buckeln allerdings eine ganz vergebliche Mühe war – diese Hunde schienen mit ihrem rasenden Gekläff und Springen das Vergnügen des Drachen an dem Tanz noch zu erhöhen und ihn auf den eingefangenen Rittersmann gänzlich vergessen zu lassen: während links und rechts des Weges der Wald mit Stamm und Ast, mit Splittern und Brechen niederging. Jedoch dauerte diese seltsame Gefangenschaft des Herrn Gamuret ganz kurz, und er hatte während derselben nicht viel Zeit zum Überlegen: denn eben als er daran war, den Wurm von seitwärts mit dem Schwerte anzuspringen, hetzte überraschend – wohl zu des Fronauers Glück! – ein mächtiges Rudel von Rotwild durch die aufgestörten Wälder. Dieses aber schien den Drachen doch weit mehr anzugehen als Hunde und kleine silberne Männer, er löste seinen Ring und schoss, unter wilden Verwüstungen des Waldes, hinter der aufgescheuchten Beute einher und also davon.

Der Fronauer aber hatte Mühe, die tollgewordenen Hunde zurückzurufen.

Deren einen aber ließ er jetzt durch seine Knechte hereinführen, öffnete ihm ohne weiteres das Maul, und, die Lefzen zurückschiebend, zeigte er der Herzogin, wie sich das Tier zwei Zähne an dem Panzer des Wurmes ausgebissen.

„Mir war's, als wär ich in einen höllischen Tobel gefallen" – so beschrieb Herr Gamuret seinen Zustand inmitten des schrecklichen Ringes – „und der Bub draußen und meine Leut mit die Ross hent nicht weniger das Schwitzen vor Angst gekriegt dann ich selbsten."

„Gleichwohl habt Ihr dem Wurm, bevor er noch entfliehen konnte, diese Zier vom Haupte gehauen!" sagte Lidoine und wies auf das violenfarbene Horn, welches auf einem Kissen von Seide hereingebracht und zu Füßen ihres Thronsessels hingelegt worden war. „Eure Tapferkeit ist aller Ehren wert." Sie sah indessen an dem Fronauer vorbei und zu Ruy hinüber.

„Halten zu Gnaden", sagte Herr Gamuret, der etwas verdutzt schien „von Tapferkeit ist hier nicht wohl zu reden, denn wer mag tapfer sein, wenn ein Berg auf ihn zugerennt kommt. Was aber dieses Horn anlangt, so hab ich's nicht herabgeschlagen, sondern später und eine Strecke weiter von dem Ort, wo mir der Lindwurm begegnet ist, gefunden."

„Und wie fandet Ihr's?" fragte die Herzogin und neigte sich ein wenig vor. „Lag's im Walde oder am Wege?"

„Rechts des Weges in einem Gebüsch haben wir's gefunden, sollte billig heißen nicht wir, sondern die Hund, welche unterwegen allesamt da große Zusammenlaufung getan mit Laut geben und Scharren. Wir hielten nun freilich Nachschau. Ein Wunder ist's nicht, denn das Ding riecht stark und, wie mir scheinen will, recht süß und edel."

„Ach, das ist's?" rief Lidoine, „die ganze Zeit über, die Ihr hier im Saale sitzet und sprecht, Herr Gamuret, denk ich über den seltsamen Duft nach und daß Ihr wohl sehr kostbare Essenzen gebrauchen müßt!"

„Ich hab mein Lebtag dergleichen nicht gebraucht", sagte der Fronauer etwas verwirrt, und vielleicht wurde er auch mißtrauisch und des Glaubens, daß hier mit ihm Spott getrieben werden sollte. Eine kleine Falte erschien über seiner kurzen und geraden Nase.

„Sagt, Herr Ruy, wonach riecht es?!" rief die Herzogin lachend und winkte einem Pagen, daß er das Horn zu dem Spanier trage.

Ruy beugte sich über seine fremdartige Beute, die er in Todesangst vorlängst dem Wurme abgenommen. Er schloß die Augen halb und zog die Luft ein. Sein Gesicht blieb völlig ernsthaft. Nach einer Weile erst blickte er auf, jedoch an Lidoine vorbei, und sagte langsam:

„In grünen, saftigen Talgründen riecht es wohl so, die von geruhigen Bächen durchzogen sind, darin sich das Grün des Ufers verdunkelt und vertieft im Widerspiegeln. Mag schon sein, daß dort solche Blumen wachsen von derart strengem und feinem Dufte wie diese Drachenzier."

„Das sagtet Ihr gut", meinte Lidoine und schwieg still.

Herrn Gauvains Wesen, welches sich unmittelbar nach der Ankunft des Fronauers merklich verdüstert hatte, gewann wieder etwas Frische. Jedoch beherrschte den Jüngling eine bedeutende Unruhe; und diese führte ihn neuerlich in die einander übersteigenden Gärten und

Bogenwege vor den Gemächern seines einstmaligen Herrn.

Hier lag Ruy ausgestreckt auf dem Ruhebette. Und rückwärts war sein Bube ein wenig eingenickt und neigte das Köpfchen an die Armlehne eines schweren Sessels. Auf dem niederen Tische neben dem Lager fehlten nicht Weinkrug und Schachbrett, jedoch waren auf diesem die Figuren teils umgefallen, teils nachlässig zusammengeschoben.

Gauvain blieb stehen, in der Ecke einer kleinen Galerie, und lehnte sich leicht an die Wand, darin einzelne bunte Ziegel leuchteten. An den Säulchen kletterten Blüten in dicken Dolden. Der warme Sommerhimmel fiel hier von überallher in großen und tiefen Stücken herein und wölbte drüben frei auf, über dem Horizonte.

Hier war Frieden. Hier trat die sonst, aus Angst und Gejagtheit des Herzens, vielfach unbeachtete Welt, an welcher er selbst, Gauvain, unruhevoll vorbeiging, von allen Seiten herein, wie in ein vieltoriges Haus. Hier tändelte ein Schmetterling, und auch er war, mit seinen leichten und zufälligen Bewegungen, in diese Schale der Ruhe gefaßt und konnte darin betrachtet werden.

Anscheinend schlummerten beide, Ruy und der Knabe.

Gauvain sah dem Schmetterling zu. Er war violenfarben, so etwa wie jenes Drachenhorn, und die Blüten, welche er beflog, waren von sattem Braungelb.

Nach einer Weile zog Gauvain sich leise zurück.

Als er danach einen der inneren Gärten durchschritt, begegnete ihm der herzogliche Marschall, welcher ihn vor nicht langer Zeit mit Ruys Schwert zum Ritter geschlagen. Gauvain sah den weißhaarigen Mann herankommen in seiner Schaube von Seide und Pelzwerk, durch einen langen Gang, der aus niederen Linden mit dicht ineinander verflochtenen Kronen bestand, wie ein Bogengewölb: an dessen anderem Ende öffnete sich eine kleine, von Efeu umsponnene Tür, welche jetzt den alten Feldherrn und Hofmann entließ, der sich da zu ergehen wünschte.

Für Augenblicke nur wollte Gauvains Fuß sich im Vorschreiten hemmen, aber die höfische Zucht obsiegte, und sie führte den jungen Ritter hier geradewegs dem Greise entgegen: langsam kam dieser, Schritt vor Schritt, und den Jüngling wehte es plötzlich seltsam unheimlich an, ja er rang geradezu nach Fassung in seinem Innern, als würde nun eine Entscheidung ihn antreten, ihn, der unsicher zwischen einem Abgrunde von Verzweiflung und einem blauen Himmel voller Hoffnungen umtrieb.

Da war's nun an der Zeit, mit Ehrerbietung zu grüßen. Und der Gruß ward so freundlich erwidert, daß alle Beängstigung sich minderte.

„Sieh da, mein Schwertpatenkind“, sagte der alte Herr. „Wollt Ihr, mein Sohn, einem alten Manne ein wenig Gesellschaft leisten?“

Gauvain verbeugte sich, nach der Sitte der Zeit nicht tief, sondern leicht, und ein klein wenig seitwärts in den Hüften gedreht.

Die Sonne lag mit vielen weißleuchtenden Lichtpfeilen zwischen den Blättern.

So gingen sie denn nebeneinander, Herr Gauvain mit zurückgezögertem Schritt, den die Langsamkeit des Alters und die Ehrfurcht vor diesem dem Jünglinge auferlegte.

Wie aber ein solcher, ist er nur echt und gut, vor greisen Augen jene Sprödigkeit und Verschlossenheit nicht kennt, die überall sonst als ein ihn selbst oft drückender

Sperring das Herz umlagern – so empfand es Gauvain als Wohltat, ja als löse man ihm nach langem Ritte den Panzer, als der Marschall geradewegs in den Kern der Sachen griff, die hier den jungen Rittersmann so sehr und so schmerzhaft bewegten.

„Ich seh' Euch trübe in diesen letzten Tagen, Herr Gauvain. Item, seit des Herrn von Fronau Ankunft. Die aber sollte Euch gerade so nicht stimmen."

„Wie denn anders?" fragte Gauvain einfach und mit leiser Stimme.

„Glaubt mir, junger Herr, oft will einer aus seiner Not des Herzens gar nicht herausschauen in die Welt, obwohl dort ein einziger Blick den Ausweg zeigen könnte. Aber es will und liebt diese Not zu sehr ihre eigene Blindheit."

„Ich glaube jedoch mein Unglück ganz deutlich zu sehen."

„Aber eben nur dies; und Ihr geht darin befangen wie ein Mann im tiefen Walde. Scheut nicht die Axt des Verstandes, welche Euch den Weg freihauen kann; und vielleicht seht Ihr dann ins Freie und in eine Sonne, von der Ihr Euch nicht träumen ließet."

„Ich habe nicht gewagt, mir Hoffnung zu geben, und wenn, so unterdrückte ich sie bald wieder."

„Hier handelt sich's, mein Freund, nicht um Hoffnung oder Furcht. Beide für den Augenblick zu überwinden sei Euch von mir empfohlen. Aber, in welche Sache immer uns das Leben nun einmal hineingestellt hat: man muß sie führen. Man muß sehen, was sich dabei tun läßt. So gibt man dem nach Gottes Willen schon fliegenden Pfeil erst seine Spitze, in welchem seltsamen Kunststück sich aber, wie mir scheint, Würde und Wert des Menschen eigentlich erweisen. Dazu gehört nichts als ein klarer Blick und eine durch ihn bezwungene ruhige Hand. Wenn ein Staatsmann, ein Feldherr, ein Künstler sich dieser Tugend bedienen, denen ihre großen Sachen, einmal erschaut und erkannt, auch Kraft und Demut zu allem Kleinen geben, was dabei fortwährend wird zu verrichten sein: dann sehe ich nicht ein, warum ein Liebender es nicht soll ebenso machen können in seiner, wie ich auch heute, als alter Mann, noch recht wohl weiß, keineswegs geringen Sache."

Er schwieg, hielt im Gehen an und blickte zwischen die weißleuchtenden Sonnenflecken im Geäst, und sein Antlitz schien durch Augenblicke erleuchtet, als erhöbe sich für ein kurzes wieder der Sturm längst vergangener Jahre in dieser Brust.

Bei dem Worte „ein Liebender" hatte Gauvain den Blick tief zwischen die Kiesel des Weges gebohrt, die er dabei ganz groß sah, und eine heiße rote Welle war an seinem Halse hochgeschlagen, so daß er die Seide seines Rockes rundum als kühl empfand.

„Jedoch wüßte ich nicht, was jetzt zu tun wäre", sagte er endlich, den Blick noch immer am Boden.

„Gut zuhören, junger Herr, und die Sachen klar ins Auge fassen. Das Übrige kommt von selbst."

Diese letzten Sätze sprach der Marschall mit großer Genauigkeit und einiger Schärfe. Er schien nun erst an einem Punkte zu halten, zu welchem er wohl schon vom Anfange dieser Unterredung an sich hinbewegt hatte; und aus der mit Wohlwollen dargebotenen Schale einer bloß aufnehmenden Anteilnahme sprang jetzt ein klarer Strahl verfolgten Zwecks.

Gauvain fühlte das. Er fühlte zugleich, daß hier ein Neues ins Spiel trat, ein Fremdes ihn berührte, und schon wollte er davor zurückweichen in den verworren durcheinanderwachsenden Wald seiner Sehnsucht, Qual, Hoffnung und Verzweiflung – weil ihm die Befangenheit darin besser dünkte als jedweder kluge Einblick von außen her: aber die plötzlich entfachte Hoffnung war es jetzt, die sein Gehör erschloß.

„Wie gerne werde ich Euch zuhören, ehrwürdiger Herr, und wie aufmerksam auf jedes Eurer Worte merken und, wenn ich nur irgend kann, Euren Rat befolgen!“ rief er lebhaft.

„Recht so“, sagte der Marschall, über dessen feine Züge ein Lächeln zu huschen schien. „Zuvörderst das eine: Glaubt Ihr, daß Euer gewesener Herr noch an eine Werbung bei der Herzogin denkt? Denn man kann, strenggenommen, nicht eigentlich sagen, daß die Zeit hiezu abgelaufen wäre. Vielleicht wollen einzelne hier bei Hofe – im Gegensatze zur Mehrzahl wohl – in diesem Zögern sogar eine besondere Betonung des Schicklichen erblicken. Hat der freie Herr von Fanez darüber nie zu Euch gesprochen?“

Gauvain merkte wohl, daß es dem Marschall darum zu tun war, hier etwas zu erfahren; und er glaubte im Augenblicke auch, daß es nicht nur diesem, sondern seiner eigenen Sache dienlich wäre, wenn er nun das Genaue, das er von Ruy wußte, hier ebenso genau aussagen würde. Jedoch, er vermochte es nicht, aus dem Zusammenhange einer mit seinem einstmaligen Herrn verbrachten und unvergeßlichen Stunde hier kurzerhand eine Auskunft herauszulösen, die als solche gar nicht gegeben worden war. Vielmehr schien ihm, als hätte Herr Ruy von Dingen gesprochen, die für ihn unermeßlich bedeutender sein mochten als etwa die Absicht, zu werben oder nicht zu werben: und so hatte er ja auch seine Entscheidung für das zweite nur beiläufig einfließen lassen in ein Gespräch, das in seiner Art für Gauvain einzig dastand. Nicht über den einen bestimmten und erklärten Punkt zu schweigen hielt sich der Jüngling jetzt für verpflichtet: wohl aber aus jener seltsam vertraulichen Stunde, da die Sonne bereits hinter die Zinnen und Kirchturmnadeln der Stadt am Himmelsrande gerückt war, durchaus kein Mittel zu irgendwelchem Zwecke zu machen, sei es nun zu welchem immer. Ja, als ihm solches nur in der Vorstellung anrückte, schämte sich Gauvain sehr.

„Darüber habe ich ihn nie sprechen gehört", sagte er also.

„Das ist für Euch zu bedauern", sagte der Marschall. „Des freien Herren von Fronau Ankunft macht zudem Herrn Ruy ein rasches Handeln bereits unmöglich, da es ihm nicht wohl anstehen möchte, nun plötzlich Eile zu zeigen. Was aber Herrn Gamuret anlangt, so sieht mir dieser ganz nach raschem Handeln aus und ohne sonderliche Scheu, sich über höfische Sitte hinwegzusetzen, wenn er seine Stunde für gekommen vermeint. Daß er sich hierin jedoch irrt, würde ich ihn gerne auf schickliche Art wissen lassen."

„Wie wollt Ihr dies tun – und, worin, sagt Ihr, irrt sich Herr Gamuret?"

„In der Herzogin. Ich sprach mit ihr, und es gelang mir, ihr klarzumachen, daß Herr Gamuret der geeignete Mann nicht wäre, einen Herzog von Montefal abzugeben, mag er sonst ritterliche Tugenden haben wie immer, welches zu bestreiten oder auch nur im mindesten anzuzweifeln von mir ferne sei."

„Es gelang dies also ...", sagte Gauvain und verwunderte sich über seine sprechenden Lippen. Sein Herz stand plötzlich in einem leeren Raum und sehnte sich nach der Wärme und Berührung des übrigen Körpers.

„Ja, es gelang. Zudem, so einhellig der Staatsrat einer Verbindung mit Herrn Ruy zugestimmt hätte – so geteilt verhalten sich dort Meinungen und Stimmen, was jenen deutschen Herren angeht. Während die einen in ihm den zu begrüßenden künftigen starken Herrscher sehen wollen, ist man auf der anderen Seite geneigt, die völlige Fremdheit seines Blutes und seiner Art für bedenklich zu halten, wobei einige sagen, er könnte dann das Land in sinnlose kriegerische Abenteuer stürzen oder etwa im Inneren eine eigenwillige und gewalttätige Hand zeigen. Überdies aber werde es schwer sein, ihm zu raten, da bei seinem unstreitig etwas rauhen und störrischen Wesen der Staatsrat jenen Einfluß, den er bis nun zum Wohle des Landes entscheidend besitzt, bald verlieren müßte. Zu jenen, die so denken, gehöre auch ich.“

Nur wie man einen Punkt ausnimmt, nur ganz ferne, nur mit der obersten und dünnsten Schichte des Verstandes, merkte Gauvain allmählich, daß hier jemand sich anschickte, auf eine völlig unbegreifliche Weise für ihn selbst die Partei zu nehmen.

„Wenn nun“, fuhr der Marschall fort, „wir in einiger Gewißheit uns befänden, was die Absichten des freien Herren von Fanez angeht, das heißt, wenn uns etwa mit Sicherheit bekannt würde, daß von seiner Seite eine Werbung nicht mehr zu erwarten sei, dann würde sich eine Möglichkeit eröffnen, von der ich, zusammen mit dem überwiegenden Teile des Staatsrates, denke, daß es die allerbeste wäre. Darum, Herr Gauvain, bringt in Erfahrung, was Euer gewesener Herr zu tun oder zu lassen gedenkt, welches Euch ja nicht schwerfallen kann.“

„Nein, freilich nicht“, sagte Gauvains Mund, der da vor dem eigenen Antlitze sprach und wie losgelöst davon, so daß sein Eigner den redenden Lippen gleichsam zusah.

„Nun denn! Ein zweites geht Herrn Gamuret an. Ihm wäre auf freundliche und auf die richtige Art zu bedeuten, daß seine Werbung viel Aussicht nicht hätte und daher besser unterbleiben würde. Niemand kann für dieses Geschäft geeigneter sein wie Herr Ruy de Fanez, wenn anders er nicht selbst noch an den Sachen teilnimmt, was ihm dann freilich unmöglich machen würde, dem Fronauer einen solchen Rat zu geben."

„Und nun, ehrwürdiger Herr", sagte Gauvain, der jetzt plötzlich und zu seinem eigenen Schrecken, einen Vorstoß wagte, „wenn mein einstmaliger Herr dies nun täte, und mit Erfolg . . .?"

„Dann werdet Ihr um die Herzogin werben, und mit Erfolg", antwortete der Marschall in aller Ruhe.

Und also geriet Gauvain mit seinem Vorstoß auf den hervorschießenden Strahl des Lebenswassers, den er hier selbst in plötzlicher Kühnheit aufgebohrt hatte wie ein Bergmann: und schon stieg die heftige Flut in allen Stollen und Gängen seines Innern, während sein Kopf von des Marschalls wenigen knappen Worten dröhnte, wie ein Turm, in welchem die Glocken geläutet werden und dessen Schallöcher brausen. Einmal in Bewegung geraten, einmal aus jener Starrheit gefallen, in welcher er bisher dem Leide standgehalten hatte, ward es ihm furchtbar schwer, sich hier und jetzt zu bemeistern. Das Blut stieg in das Haupt, das Herz lärmte in der Brust, jeder Lichtpfeil der Sonne, die durch das Laub blitzte, ward erregend auf ihn abgeschossen, und von seinen Füßen her wuchsen die Kiesel zu ihm herauf, als ginge er klein und plattgedrückt kaum zwei Fuß hoch über dem Boden, der zugleich wie unter fließendem Wasser lag. Nie noch hatte ein diesem vergleichbarer Zustand ihn befallen. Und jene von rasendem Herzklopfen zerrissenen Augenblicke damals im Walde, als er mit den tobenden Rossen gekämpft hatte, während sein Herr, das blanke Schwert in der Faust, einem braunen Berge entgegengerannt war, der sich wie aus einer anderen Welt auf den glatten Nadelboden des Weges schob – jene Augenblicke waren, mit diesen hier verglichen, mit diesem äußerlich ruhigen Gehen und Stehen in dem Laubgange von Linden, eher gesammelte als wild erregte zu nennen.

„Eure einfache ritterliche Geburt", fuhr indessen der alte Herr zu sprechen fort, und zwar im Tone eines erläuternden Vortrages, „bildet kein Hindernis. Denn auch bei jenen beiden freien Herren hätte sich der Staatsrat ebenso mit dem verhältnismäßig niedrigeren Stande des erwählten Gemahles zu befassen gehabt, item mit dessen Erhebung zur Herzogswürde. Unsere gnädige Frau konnte wohl auch, als sie, zum zweitenmal Witwe geworden, ihren seltsamen Entschluß faßte, nicht erwarten, daß gerade ein regierender Fürst das Abenteuer im Wald von Montefal würde bestehen wollen, um ihre Hand zu erringen. Fürstliche Personen pflegen sich ja allermeist um anderes zu kümmern als um Lindwürmer. Genug an dem: Ihr seid ritterbürtig und zum Ritter geschlagen. Ich kann Euch jetzt und hintnach sagen, daß ich dies letzte damals beschleunigte, so gut es angehen mochte, denn sehr bald, junger Herr, hat mein Auge auf Euch geruht. Nun, Ihr habt den Wald durchritten und der Bedingung unserer Herrin Genüge getan. Auch ist's meine Meinung, daß man rasch hochzeiten sollte: denn ein seltsamer Zufall brachte zwar, nach jahrelangem Warten, drei Herren aus dem Wald, von denen jedoch einer nicht werben will, der andere nicht werben soll – dafür aber der dritte, und das seid Ihr, der Herzogin sehr wohl zu gefallen scheint. Sollen wir da die Wartezeit noch ins Ungewisse verlängern? Ihre Gnaden sehnen sich nach einem jungen Gemahl, werden aber dabei, mit Verlaub, auf die Länge auch nicht jünger. Ihr seid wohlbeschaffen, sittsam und klug, Herr Gauvain. Ihr werdet nicht eigenwillig sein und nicht glauben, von den Staatsgeschäften mehr zu verstehen als betagte und erfahrene Männer, die seit Jahrzehnten mit nichts anderem befaßt sind. Ihr werdet Euch raten und lenken lassen, ich glaube es von Euch erwarten zu dürfen. Schlagt ein! Ich würde unter solcher Bedingnis der Eure sein und Eure Sachen gut führen; und, im Vertrauen gesprochen: es wäre mir ein Leichtes. Ihr aber geht heute noch und ungesäumt zu Eurem einstmaligen Herren und beredet Euch mit ihm, wovon ja alles abhängt, und weiterhin auch wegen des Fronauers. Alsdann laßt mich's wissen."

Und vor Gauvains Augen erschien, von Sonnenflekken gestreift, das Schicksal selbst in Gestalt einer weißen glatten Hand, die aus dem Pelzbesatz eines Brokatärmels hervorglitt und sich ihm geöffnet darbot: und auch diese Gestalt schien ihm größer und furchtbarer als einst des Wurmes Haupt, wie es sich aus der Tiefe des Waldes auf den nadelbraunen Weg geschoben hatte.

„Alles, alles, gnädiger Herr, verspreche ich Euch", sagte Gauvain mit dem letzten, was er an Stimme noch aufbrachte, ergriff die Hand des Marschalls, beugte sich darüber und küßte sie.

Wie Gauvain, nachdem der Marschall ihn beurlaubt, aus dem Lindengange hinausgekommen war, das wußte er selbst nicht, da er schon geradezu um sein körperliches

Gleichgewicht kämpfte, um beim Gehen nicht zu schwanken. Endlich aber stille zu stehen oder zu sitzen – wozu hier in den Gärten manches marmorne Rund einlud – gelang ihm jedoch nicht. So schritt er immer weiter und empfand seinen Leib wie eine aus den Angeln gehobene Tür, die nur leichthin am Pfosten lehnt. Er fiel unsicher hinaus in die Fülle der Sonne, in das Blau, in die brennenden Farben der von weißen Mauern herabträufenden Blumengewinde, irrte mit dem Blick auf dem flitternden Spiegel von Teichen, die sich darboten, und sah dahinter die blauen Schatten des Schloßdoms über Blüten ragen. Im Vorbeigehen bot er einer Gruppe von ballspielenden Damen des Hofes den Gruß mit abwesenden Augen und mit Gliedern, die er wie von Holz und nur an der äußersten Oberfläche als sein eigen und ihm gehorsam empfand. Eine große rotblonde Frau sah ihn verwundert an, wandte sich dann um und schleuderte kräftig den Ball.

Wie ein Stein lastete seltsamerweise des Marschalls Auftrag Gauvain auf dem Herzen, welches allem anderen eher geneigt war, denn einem Zwecke nachzugehen: gerade dies aber sollte ihn ja zu Herrn Ruy führen.

Als er sich dabei vorstellte, wie und was er nun seinen einstmaligen Herrn zu fragen hatte – da unterbrach er endlich und plötzlich sein rasches Gehen, und eine Ruhebank war ihm willkommen. Sie, zusammen mit dem fernen dunstigen Himmelsrande über Terrassen und Gärten, ließ ihn erstmalig wieder aufatmen, und schon kam, wie ein weicher Sommerwind, der Einfall angeflogen, einfach hier zu verweilen und zu bleiben, den Dingen ihren Lauf und den Auftrag des Marschalls vorüberziehen zu lassen, wie jene Wolken, die hier selten und einzeln am Himmelsrande erschienen, ein Weilchen still lagen und dann vergingen wie die Tage, wie die Wochen auf Montefal. Gauvain wurde ruhig.

Ihm gegenüber sprang jemand von einer hohen marmornen Stufe auf den Kies, lief herzu und blieb mit höfischem Gruße vor ihm stehen.

Es war sein Bube, auf welchen er völlig vergessen, dem er aber, des Alleinseins bedürftig, vor Stunden befohlen hatte, ihn an diesem Platze hier zu erwarten.

„Geh zu dem freien Herrn von Fanez und melde ihm mein Kommen", sagte er zu dem Knappen.

Zur Zeit als Gauvain unter den gekrümmten Linden sich unvermutet dem Marschall gegenübergesehen hatte, war Herr Ruy noch im Schlafe verblieben; und wenn nicht gerade in dem eines ausgemachten Gerechten (denn diese Figur gibt ein ‚irrender Ritter' schwerlich ab), so doch im Schlaf eines Mannes, der von den Dingen dieser Welt allseits genügend Abstand genommen hat, um in ihrer Mitte zu ruhen.

Am Himmel änderte sich wenig, noch stand die Sonne hoch. Grüner Blätterschatten überdeckte das Ruhelager und auch den schweren Sessel, gegen dessen eine Armlehne geneigt Patrik schlief, das kleine englische Grafenkind, hell, frisch und rötlich, als hätte man einen Ährenbund mit Feldblumen dort in das Gestühl gelegt.

In diese Stille huschte plötzlich, aus der Galerie hervorkommend, ein zweifarbig gekleideter flachsblonder Junge, warf einen raschen Blick auf den schlafenden Herrn Ruy und versetzte dann Patrik einen kräftigen Rippenstoß; worauf der kleine Engländer mit einer blitzschnellen Bewegung seines schlanken Beines den Störenfried sehr wohlgezielt in den Bauch trat, mitten aus dem Schlafe heraus. „Wach auf, Patrik", tuschelte der Ankömmling (als würde solch ein Tritt nicht das Wachsein ausreichend beweisen) – „es kommt wer zu deinem Herrn!"

„He da?!" rief jetzt Ruy von seinem Ruhebett her, der durch das kleine Zwischenspiel ermuntert worden war.

Sogleich ließ der blonde Störenfried von Patrik ab, eilte vor das Lager hin, drehte eine Verbeugung aus den Hüften, die sich bei jedem Zeremonienmeister hätte sehen lassen können, trat zurück und trug mit heller, wohltönender Stimme das folgende vor:

„Gnädiger Herr! Gamuret, freier Herr zu Fronau, Pfleger zu Orth und Herr von Weiteneck, schickt mich zu Euch, um zu fragen, ob Euer Gnaden ihn wollten empfangen."

„Lauf!" sagte Ruy, „und bring deinem lieben, edlen Herren meinen besten Gruß, es möchte mir eine besondere Freude machen, ihn hier sehen zu dürfen."

Bald danach kam der Fronauer durch die Bogengänge und hängenden Gärten unter Vorantritt seines Bubens herauf und stand jetzt über Herrn Ruys Ruheplatz am oberen End' einer kleinen Treppe vor dem blauen Himmel. Die Sonne brach durch sein weizenfarbenes Haar, welches ganz licht und leicht aussah, wie das Sonnengold selbst.

Herr Ruy eilte dem Gast mit ausgestreckten Händen entgegen.

„Ich komm, mit Euch vertraulich zu sprechen und ein offenes Wort, Herr Ruy", sagte der Fronauer und stieg die Stufen herab. Er trug einen breiten Rock von blauer Seide, über welchem der hirschlederne Gürtel lag. Am Halse und an den Schultern war weißer Pelz.

Die Buben liefen mit frischem Wein, Backwerk und Früchten.

„Sprecht doch", sagte Ruy, „Ihr könnt eines brüderlichen Herzens versichert sein."

„Ich will Euch fragen", sagte der Fronauer gradaus und ließ sich in den schweren Sessel nieder, worin früher Patrik geschlummert hatte – „ob Ihr noch zu werben gedenkt?"

„Nein, Herr Gamuret", antwortete Ruy ebenso, „ich will's nicht tun."

„Dann soll ich es wohl."

„Steht Euch denn der Sinn nicht ganz und gar danach?"

„Nein. Das wäre gelogen, wollt ich es sagen."

„Niemand nötigt Euch zu Eurer Werbung, Herr Gamuret."

„Nein. Jedoch, soll all die schwere Fahrt umsonst getan sein, die Angst umsonst erlitten, das wochenlange Reiten durch Wald und wieder Wald, als ritte man am Grund des Meers? – Nun, Ihr habt das selbst erlebt. Mir will's nicht in den Kopf, daß ich weiter soll, ohne den Preis zu nehmen."

„Ist aber, so scheint es, für Euch gar kein Preis", sagte Ruy lächelnd.

„Nun ja, immerhin, die Sachen würden am End noch eine Vernunft bekommen, mit diesem Herzogtum hier. Ach, ich fühl mich da fremd, wie bei den Türken. Und sagt, Herr Ruy – Ihr, für Euer Teil, Ihr lasset dies so fahren?"

„Darum heiß ich ja ein fahrender oder irrender Ritter", antwortete Ruy lachend. „Nein, sie gefällt mir nicht, die verehrungswürdige Dame, das ist's ganz einfach. Warum soll ich in einen Apfel beißen, bloß weil er Apfel heißt? Gegen derlei möcht ich mir meine Freiheit gewahrt haben. Jedoch versteht mich wohl: gefiele sie mir, dann hätt ich längst gebissen. An der Gelegenheit hat's ja nicht gemangelt."

Der Fronauer hob den Kopf und sah Ruy aus seinen hellen Augen lange an.

„Da seid Ihr im Rechten", sagte er dann. Aber diese klare Einsicht, welche durch Augenblicke in seinen Zügen stehengeblieben war, zerfiel schon wieder unter den Schatten des Zweifels, die jetzt darüber hinliefen. Man konnte es diesem Antlitze entnehmen, daß solcher Wechsel des Lichts in den letzten Tagen ein häufiger gewesen sein mochte, ja ein ermüdendes Hin- und Widerspiel. Herrn Gamurets Gesicht sah ein wenig matt aus und zerarbeitet. Er beugte sich jetzt vor, legte die breite Hand auf die Kante des Tischchens, das zwischen ihm und Ruy stand, und sagte, indem er seinem Gegenüber in die Augen sah, mit einer ganz plötzlich offenbar werdenden Hilflosigkeit: „Wollt Ihr mir raten?"

„Soll ich's denn wirklich?!" antwortete Herr Ruy und sah dabei vielleicht ernsthafter drein, als er merken lassen wollte.

„Ja, doch! Ich bitte Euch darum."

Mit einer lebhaften und anmutigen Bewegung erhob sich nun der Spanier von dem Ruhebett, darauf er gesessen, und tat ein paar Schritte unter dem Blätterschatten, bis dahin, wo die Sonne schon auf Kies und Fliesen lag und die Gärten treppab, treppauf in sie hineinliefen: hier stand Ruy unter dem Rund der Laube und gerade vor dem offenen blauen Himmel, während er sprach:

„Hängt Euer Herz nicht, woran es nicht hängt, Herr Gamuret. Zu solchem rät uns nur der Rest von den vielen alten Männern in unserem Blut, die unsere Vorfahren waren, noch jung zwar, da sie zeugten, jedennoch dann wieder mitgealtert im Nachfahren, so daß aus dem

Sprößling ein ganzer Chorus von Greisen schon spricht, die allesamt nichts wollen, als ihm die blühende Jugend rauben und ein Grab aus seinem Leben machen, derweil es noch währt. Jener Rest ist's, dem wir stets einen Zweck beweisen sollen, bei allem was wir tun, sonst wirbelt er auf wie der Satz im Glase und trübt uns den Wein. Jedoch soll man sich dessen entschlagen und frisch einschenken. Da draußen, Herr Gamuret, liegt Eure Ritterschaft. Ihr vor allem ist die schwere Fahrt zu Nutzen, die Ihr getan habt. Ein ungeliebtes Weib, mein ich, wäre dafür ein armseliger Preis. Darum ist mein Rat: streckt hier die Glieder noch, so lang es Euch behagt, wie auch ich das getan habe, und sodann schlagt den alten Männern ein Schnippchen und reitet."

„Ja, so ist's!" rief rückwärts der Fronauer, „Ihr gebt, Herr Ruy, den Ausschlag, um welchen ich mich vergeblich bemüht habe." Er stand nun gleichfalls auf, trat nach vorne, unter den Bogen von Blättern und hängenden Blüten, neben den Spanier.

„Seht hin, wie schön das liegt!" sagte dieser lächelnd und wies hinaus, „Burgen und Dörfer, und der Straßen stäubende Bänder ...", er brach ab, und sein Antlitz verdüsterte sich für eines Gedankens Länge.

„Ja, es liegt schön ...", sprach Herr Gamuret langsam nach. Er hob den Kopf, ließ das Auge in der Ferne schweifen, und seine linke Hand spielte an dem Gehenk. So breit er hier stand, was durch den Schnitt des Gewands noch verstärkt ward: dies Antlitz war das eines aufatmenden Kindes. Herr Ruy bemerkte es wohl.

„Seht", sagte er, als sie wieder zum Weine zurückgekehrt waren, „mir erschien gleich am ersten Tage, als Ihr in dem Saal von Weiß und Silber der Herzogin Eure Fahrt erzähltet, die Frau Eurer Art ganz fremd und deshalb auch nicht wert. Sie stellte Euch auf eine Probe damals, welche Ihr wohl bestanden habt, die aber mich für mein Teil ergrimmte. Und ich glaube, mit Recht könnte da ganz gröblich gefragt werden, ob sie selbst der ungeheuren Proben wert sei, die sie uns aufgegeben, um hintnach dann Späße zu treiben, die bei Hofschranzen angebracht wären, nicht aber bei einem freien Herren."

„Welche Späße?" fragte der Fronauer.

„Ihr dürftet Euch erinnern", fuhr Herr Ruy fort, „daß die Herzogin kurzerhand anzunehmen schien, Ihr hättet das mitgebrachte violenfarbene Horn dem Drachen selbst vom Haupte geschlagen, und Euch solches geradezu in den Mund legte: worauf Ihr widerspracht und erzähltet, Ihr hättet das seltsame Ding am Wege gefunden."

„Wohl, so war's ja."

„Sie aber wußte das schon, das heißt, sie hatte längst erfahren, daß solch ein Horn im tiefen Wald am Wege lag und kampflos zu haben war."

„Wie das?" rief der Fronauer erstaunt.

„Sie wußte es von mir", antwortete Ruy. „Ich selbst schlug dem Drachen jenes Horn ab, welches Ihr dann brachtet. Jedoch ließ ich's damals liegen in dem Gebüsche, wohin es durch den Schlag gesprungen war, aus Erregung und Ermattung nach der ausgestandenen Todesangst völlig dieser Beute vergessend. Das hatte ich der Herzogin genau berichtet, in dem gleichen Raume sitzend, ja, auf dem gleichen Sessel wie Ihr. ‚Wo habt Ihr jenes violenfarbene Horn?' fragte sie mich damals. ‚Es liegt wohl noch immer in dem Gebüsche rechts des Weges', gab ich zur Antwort. Nun ist Euch, Herr Gamuret, wohl erinnerlich, daß Ihr besonders befragt wurdet, wo das Horn von Euch entdeckt worden sei."

„Ja, ich erzählte, wie die Hunde es aufstöberten."

„Damit also erwies sich, daß ich nicht geflunkert hatte. Jedoch hätte sie vorher gerne Euch zum Flunkern gebracht und schob's Euch deshalb ganz annehmbar hin, daß Ihr dem Drachen diese Zier rauben konntet. Versteht mich nun recht: wem wäre es zu verübeln gewesen, wenn er, um eine Frau sich bewerbend, solcher kleinen Schwäche nachgegeben hätte, wozu ja nicht einmal nötig gewesen wäre, den Mund großsprecherisch aufzumachen, sondern durch ein Nicht-dawider-Reden, welches, wie die Alten schon sagten, eben die Zustimmung bedeutet? Versteht mich recht, Herr Gamuret, und daß ich nicht Eitelkeiten hier das Wort reden möchte – jedoch, nach solch schwerer Fahrt solch leichte kleine Schwäche aus jemand hervorlocken zu wollen ist kein Kunststück und hätte bei dem besten Mann gelingen können. Bei Euch ist's nicht gelungen. Aber, glaubt mir, wär ihr's geglückt – nun, sie hätte Eurer nicht geschont."

„Ja, ja", sagte der Fronauer langsam und nachdenklich, „so fühlt ich auch die Wesensart unserer gnädigen Frau, gleich zu Anfang, wenn auch so deutlich nicht. Nein, unter diesen Schatten möcht ich mein Haupt nicht zur Ruhe legen. Da müßte einer noch Knabenart haben, um an derlei ein verehrungsvolles Gefallen für die Läng' zu finden."

„Das sagt Ihr treffend!" meinte Ruy.

„Eines versteh ich nun besser", fuhr der Fronauer fort und begann zu lachen, „was sich mir bei den Versespielen zeigte, Ihr erinnert Euch, daß man derlei während der ersten Tage meines Hierseins fast täglich trieb. Es war ja kein rechtes Dichten, wie wir's daheim im ritterlichen Brauch haben und worauf Ihr Euch, Herr Ruy, wohl zu verstehen scheint, wie ich bemerkte – sondern diese Verschen und Liedchen waren allermeist und mit wenig Ausnahmen eitel Spötterei und Klugtuerei, was mir im Grund zuwider. Nun gab's da einmal eine Zeile der Herzogin, in einem Blason, wie man solche Lieder französisch nennt. Sie sang's zur Laute, deren Griffe Herr Gauvain ihr beigebracht hatte. Jene Zeile hieß etwa:

‚Klüger als sein Gesicht, darum nicht eitel ...'

oder sonst auf diese Art. Sie lachte mich dabei an und schürzte die Lippen ein wenig. Heut erst weiß ich, daß dies einen Pfeil bedeutete, auf mich abgeschossen, und sie hat also angenommen, daß ich ihre Probe damals durchschaute und auf der Hut war und: – ‚darum nicht eitel'. Es scheint mir aber, ich war noch viel dümmer als mein Gesicht."

„Vielleicht glaubte sie auch, Ihr hättet indessen mit mir bereits von den Sachen gesprochen", warf Ruy dazwischen.

„Wohl", sagte der Fronauer, „mag's sein wie immer. Ich lass' den Packen hangen, wie man bei uns daheim spricht."

„Und nun, Herr Gamuret", sagte Ruy, nachdem die Buben neu eingeschenkt hatten, „wollt ich noch eines mit Euch reden in einem guten Vertrauen."

„Sprecht frei, an mir wird's nicht fehlen", rief der Fronauer und setzte den Becher hin.

„Es gibt ein armes Herz, das ist in der schwersten Not wegen unserer gnädigen Frau, was wir beide nicht so wohl verstehen dürften – item, es ist so. Steht Ihr von den Sachen ab, dann könnte geholfen werden."

„Und Lidoine?"

„Hätte bei einer Werbung von Eurer Seite wohl möglich dem männlicheren Ansehen, dem höheren Stand, dem reiferen Alter sich verständig und allzu verständig zugewandt. Jedoch auch hier mit halbem Herzen, ähnlich wie Ihr, welches halbe Herz unsere gnädige Frau aber geschickt und trefflich zu regieren versteht, wie mir scheint. Ich hätte danach kein Verlangen. Wo aber bei einem anderen Leben und Sterben sich dran hängen will: so helf' ich gerne dazu, wenn ich's vermag."

„Man ist in manchen Gegenden", sprach der Fronauer langsam und nachdenklich, „vorzeiten des Glaubens gewesen, es wohne sich in einem neuen Hause dann am glücklichsten, wenn ein lebendiger Mensch beim Bau in die Grundfesten eingemauert worden sei, wozu dann allermeist ein armer Gefangener hat dienen müssen. Ich aber möchte für mein Teil nicht wohnen über einem lebendig begrabenen Herzen. Doch sagt: wer ist's?!"

„Herr Gauvain."

„Herr Gauvain!" rief der Fronauer, und es war ihm dabei die Rührung unschwer anzusehen „Nein, ich hab davon wahrhaft nichts bemerkt. Der junge Herr muß ja die Zähne fest zusammengebissen haben – oder es ist eben der Gamuret noch viel dümmer, als er aussieht."

„Er hat sich bemeistert, es war aller Ehren wert und nicht leicht."

„Das will ich glauben. Und sprecht, Herr Ruy, wie stehn die Sachen?"

„Es scheint mir, als wäre für ihn jetzt der richtige Augenblick gekommen, zu werben. Da wir beide stillhalten, wird sie einschlagen."

„Und so bekommt das ganze Herz ein halbes dazu."

Sie schwiegen ein Weilchen. Der Fronauer erhob sich, trat wieder unter den Blätter- und Blütenbogen der Laube vor dem Himmelsblau, wo sie beide früher gestanden waren.

„Und nun eine Bitte, Herr Ruy“, sagte er dann.

„Sie ist im voraus gewährt“, antwortete Ruy, der noch auf dem Ruhebett saß, nach höfischer Art.

„Wollt Ihr mit mir zusammen die Werbung übernehmen für den jungen Herrn bei unserer gnädigen Frau? Ihr wißt, daß dabei Zweie vonnöten sind. Und wollen wir's bald tun und damit am Hof von Montefal endlich alles außer Zweifel und in eine rechte Ordnung setzen?!“

„Das heiss' ich einen guten Einfall“, rief Ruy, sprang auf und schlug in des Fronauers dargebotene Rechte. „Und bald! Und morgen schon!“

„Und morgen schon!“ wiederholte Gamuret lachend. „Jetzt zu Herrn Gauvain! Wo steckt er?“

„Da kommt er“, sagte Ruy und deutete hinunter auf den Weg über die Treppchen und Galerien, „will sagen, zunächst sein Bube. Lauf entgegen, Patrik, und melde, daß Herr Gamuret und ich mit wichtigen Sachen hier den Herrn Gauvain erwarten.“

Der kleine Engländer flog über den Kies, so schnell wie anmutig. „Der wird trefflich“, bemerkte der Fronauer und deutete hinter dem laufenden Knaben her, „ein gutes, edles Blut.“

„Ich nehm ihn mit, wann ich reite“, sagte Ruy.

Gauvain stand vor den beiden Herren, und die im Park auf der Ruhebank gewonnene Sammlung lag wie eine durchsichtige glatte Schicht über der tiefen Erregung, welche sein Antlitz darunter doch verriet. Herr Gamuret nahm ihn gleich freundlich bei der Hand und sprach ihn an:

„Herr Gauvain“, sagte er, „wir sind hier willens, Euch um was zu bitten. Es ist nichts Geringeres, als daß Ihr uns beide, Herrn Ruy und mich, erwählen sollt, falls Ihr zweier Werber bei der Herzogin benötigt wäret. Wir erhoffen solches von Euch und daß Ihr durch Eure Werbung endlich dem Hof von Montefal den Frieden wiedergeben werdet, dessen er bedarf. Wir beide können's nicht, und der Sinn steht uns ganz und gar nicht danach. Könnt aber Ihr es, dann tut's und seid unserer Personen dabei versichert und unserer Dienstwilligkeit."

„Ihr Herren ...", stammelte Gauvain, indessen er begriff schon, drückte erst des Fronauers Rechte und fiel dann mit beiden Händen in die seines einstmaligen Herrn.

„Wir wollen's morgen tun", sagte Ruy.

„Wie werd ich's Euch danken!" erwiderte Gauvain, der keinerlei Versuch machte, sein Herz vor diesen Freunden zu verbergen. Er atmete tief auf. Sie traten indessen wieder hinaus, wo die Sonne sich schon zu neigen begann, so daß immer mehr von den Gärten und Zinnen in ihrem flutenden Golde versank.

Lärm, helles Gelächter, auch von Frauen, und eilige, laufende Schritte wurden über die Terrassen herauf hörbar. Ein Bube kam gesprungen, verneigte sich und sagte, die Herzogin mit etlichen Damen und Herren des Hofes käme bei einem Ballspiel durch die Gärten hier unten vorbei und wünsche die drei Herren, welche man schon erblickt, dabei zu sehen.

Sie gingen hinab.

Die Herzogin hatte das Spiel unterbrechen lassen und saß jetzt auf einer erhöhten Gartenbank aus Stein, die, halb von blauen Wicken überhangen, sich im Halbkreise hinzog. Der Hof stand, Herren und Damen, ihr zur Seite auf dem Platz mit gelbem Kies. Überall lagen die bunten Bälle umher, rote, blaue, gelbe, und man trug Körbchen in den Händen, mit Bällen teils gefüllt; hineinzutreffen war die Geschicklichkeit des Spiels, und jede Partei hatte eine Farbe, die ungemischt bleiben sollte: so trachtete man die Bälle der eigenen Farbe zu fangen, die fremden zu vermeiden, welche der Widersacher arglistig und geschickt in den Korb warf.

„Hier kommen die Herren vom Drachentöter-Orden", sagte Lidoine, während Ruy, Gamuret und Gauvain, jeder seinen Buben hinter sich, nacheinander vor sie hintraten und ihre Verbeugung zierlich aus der Hüfte drehten.

Die Bemerkung erregte bei allen Umstehenden Heiterkeit, welche man kaum zu verbergen suchte; sie lief als eine kleine Welle durch die ganze Versammlung. Lidoine lächelte auf des Fronauers mächtige Schultern herab, als dieser sich über ihre Hand beugte, und betrachtete dann dessen Knappen mit plötzlicher Aufmerksamkeit:

„Wie gern hätte ich", sagte sie, „dich, Eric, zum Ritter schlagen lassen, da du ein Gleiches doch mannhaft ausgestanden hast wie unser Herr Gauvain. Aber mit vierzehn Jahren bist du leider für den weißen Gürtel doch noch zu jung. Nun, es wird werden. Vielleicht gelingt's dir, in das Geheimnis des Drachentöter-Ordens einzudringen, wenn du die Gunst genießest, bei den Versammlungen dieses Kapitels anwesend sein zu dürfen."

Es kam wohl nicht so weit, daß irgendwer herauslachte, aber man spürte das Belustigtsein aller Damen und Herren geradezu aus dem Knistern der Kleider.

„Halten zu Gnaden", sagte der Fronauer, und vielleicht ein wenig hart im Ton, „aber von uns hat keiner einen Drachen getötet ..."

„Unsere gnädige Frau hält uns für strenger und ernster, als wir sind“, so warf jetzt Herr Ruy lächelnd und leicht ein, „aber es ist beileibe kein Orden, der da gegründet wurde. Nur eine fröhliche Gesellschaft von Freunden, die gerne beisammen sind.“

„Das letzte scheint mir zu stimmen“, bemerkte die Herzogin. Sie lehnte sich für einige Augenblicke mit aufgestützten Handflächen und hohlem Kreuz auf die Steinbank zurück, die drei Männer betrachtend, die wie in einer geschlossenen Front nebeneinander vor ihr standen. „Euer gutes Einvernehmen bereitet mir rechte Freude, Ihr Herren!“ fügte sie hinzu, und dann: „Jedoch würde ich allzugern um Euer Geheimnis wissen!“

„Welches ist das Geheimnis, das Euer Gnaden meinen?“ sagte jetzt Herr Gauvain. Er hatte sich etwas vorgebeugt und sah beinahe erschrocken aus.

„Das Geheimnis, wie man Lindwürmer, wenn schon nicht tötet, so doch mit Sicherheit in die Flucht schlägt.“

Aber hier kam der kluge Herr Ruy nicht rechtzeitig mehr zum Reden – schon hatte der Fronauer das Wort beim Zipfel und sagte:

„Zu Gnaden – aber ich mein schier, diese Tiere mögen nicht gerne Männer von Eisen und Leder fressen. Das ist nicht ihr Geschmack.“

„Auch nicht der meine“, sagte Lidoine und maß den Fronauer von oben bis unten mit einem kurzen Blick, „wenngleich ich kein Lindwurm bin.“

Nun durften alle lachen und taten's beinah erleichtert.

„Zum Spiel!“ rief Lidoine und sprang empor. „Herr Gauvain, hier, das Körbchen: Ihr nehmt gelb, meine Partei!“

Die bunten Bälle flogen in Unzahl hintereinander

auf, wie eine farbige Wasserkunst. Keiner ward vom Boden genommen, man ließ die verworfenen liegen, Bediente trugen rückwärts reichlich Bedarf nach. Mit Gelächter, Laufen, Springen, Trippeln und Lärm zog sich das Spiel erst noch die äußeren Gärten entlang, wo man den eigenen Wurf kaum mehr sah, da alles in der Abendsonne schmolz. Dann ging's durch einen langen, mit farbigen Ziegeln ausgelegten hallenden Gang, nach innen, der Wettkampf ergoß sich über die Rasenflächen, der Lauf wurde noch rascher, der Wurf noch weiter, das Lachen noch verstreuter, wie von Tauben da und dort hinterm Busch: aber es waren die Damen. Man kam zu Tischen, während es dämmerte; unter zahllosen Lichtern blinkte dunkel der Spiegel des Weins in der flachen Schale, glänzten feucht die Berge von Obst, rot und salzig die Schüsseln mit Krebsen. Als der Mond, all dem Lärm doch übermächtig, rund um das Fest die Wiesen und Lauben betrat, die Teiche erleuchtete, neu und auf andere Art der Gärten tiefes Auge aufschlagend, hatte sich die zahlreiche Gesellschaft schon vielfältig zerstreut. Gauvain erlebte im Trubel einen Händedruck der Herzogin, den sie nur mit heißen Fingern gab und durch Augenblicke heftig ansteigend: ihm wurde der Arm kalt bis in die Schulter, in welche das Herz sprang. Bald danach, im Mondschein an einer Hecke, streifte Ruy an ihm vorbei. „Mach's gut, Gauvain“, flüsterte er, „morgen werben wir. Und sieh dort hinüber, damit du nicht glaubest, es würden dir Opfer gebracht.“ Und er wies mit einer raschen Bewegung des Kopfes auf die Ausmündung jenes Lindengangs, wo vor vielen Stunden Gauvain, von Angst und Hoffnung gepeinigt, zögernd neben den Marschall getreten war: dort stand jetzt der Fronauer, fast ganz im Dunkel, und küßte herzhaft. Es war eine große, rotblonde Dame, die, seine Zärtlichkeiten anscheinend gerne erwidernd, ihm in den Armen lag.

4.

Am Tage nach dem Ballspiel schon standen Herr Ruy und Herr Gamuret vor dem Thronsessel der Herzogin im kahlen Saal von Weiß und Silber, jeder seinen Buben in den Hausfarben hinter sich. Der Spanier machte den Sprecher. Flüssig und wohlgeformt kamen die üblichen Sätze aus seinem Mund. Der Fronauer, schön gleich einem nordischen Apoll, sah dabei so trübselig und ratlos-feierlich drein wie die Bauern bei einer Kindsleiche.

Während Ruy in den leeren Raum vor dem Thronsessel hineinsprach – Lidoine hielt den Blick auf ihren Fußschemel gesenkt – fühlte er von rechts her, wo Fenster an Fenster hoch und breit den Blick in die Weite gab, sich seltsam klar angeschienen. Ein neuer Geschmack trat auf die sprechende Zunge. Das Auge wanderte gleichmäßig an zwei im Estrich ausgelegten Halbkreisen hin und her, roter Stein in grauem. Er sandte in währendem Vortrag einen Blick hinaus und erkannte, daß man aus diesen Fenstern hinübersah auf die Wälder von Montefal, woher er gekommen. Ein braun-grüner Streif der Ferne blieb in seinen Augenwinkeln auch noch, als er den Blick neuerdings den Figuren des Steinbodens folgen ließ.

Die Herzogin sagte das Übliche zur Antwort und daß Herr Gauvain guten Mutes sein möge, und mit solchen letzten Worten waren nach der Sitte dieser späten höfischen Zeit Zustimmung und Einwilligung schon ausgedrückt. Herr Ruy brachte noch in einem vor, daß er Urlaub erbitte, um zu reiten, da der andere Werber,

Herr Gamuret von Fronau, sich bereit erklärt habe, über die Hochzeit zu bleiben; was deshalb erforderlich war, weil einer der beiden Herren, welche die Werbung vortrugen, dann auch Brautführer zu sein hatte.

Die Herzogin warf dem freien Herren von Fronau einen kurzen und blanken Blick zu und dankte ihm.

In den Vorräumen gab es den Marschall nebst einigen Mitgliedern des Staatsrates, welche nun die herauskommenden Werber beglückwünschten. Die meisten Herren, auch der Fronauer, begaben sich zu dem Bräutigam. Nur Herr Ruy ging, von Patrik gefolgt, zurück zu seiner Behausung und zu dem Ruhebett unter dem Blätterdache.

Hier war Frieden. An den Säulen kletterten Blüten in dicken Dolden. Der warme Himmel fiel von überall her in großen und tiefen Stücken herein und wölbte drüben frei auf, über dem Horizonte.

Herr Ruy streckte sich und schloß die Augen. Wieder trat der Geschmack auf die Zunge wie dort im Saale, bitter und frisch, ein Geschmack von Kräutern, wie sie etwa in grünen, saftigen, von Bächen durchzogenen Talgründen wachsen. Unter den geschlossenen Augenlidern fühlte er gleichwohl eine Veränderung allen Lichtes rundum, als wär es dünner, aber auch reiner und glänzender. Montefal wurde ganz klein in diesem Scheine, der von außen an ihm leuchtete, es lag da wie ein Stein nur am Wege, den man verläßt.

Noch hatten Herr Ruy auf seinem Lager und Patrik in seinem großen Stuhle nicht lange geschlummert, als ein Kämmerer Lidoinens eintraf und Herrn Ruy meldete, daß die Herzogin ihn vor seinem Abritte noch besonders zu beurlauben wünsche.

So stand er denn an dem Tag, welcher dem Morgen seines Ausreitens voranging, noch einmal in dem Saale von Weiß und Silber, diesmal in einer Fensternische, und ihm gegenüber die Frau, welche einst eines großen Abenteuers Ziel hätte sein sollen, aber es nicht hatte werden können, da über dieses Abenteuer hinaus kein Ziel mehr wies. Während sie sprach – alles, was sie sprechen mußte, um eben das nicht zu sagen, was sie nicht aussprechen durfte – während sie davon sprach, daß ihrem Kanzler Auftrag gegeben sei, für Herrn Ruy ein Schreiben auszufertigen, welches ihm noch für das ganze herzogliche Gebiet, soweit sein Weg ihn hindurchführe, jede nur erdenkbare Hilfe all ihrer Bürger und Edelleute sichere – während solcher Reden hatte Herr Ruy den Blick drüben auf den Wäldern.

Sie lagen gegen den Himmelsrand, mit dem graugrünen Schaum der Laubkuppeln vornean, darin da und dort ein bräunliches warmes Leuchten stand, und dahinter, etwas erhoben, der dunkle Strich der Nadelbäume.

„Wohin wird Euch der Weg führen?“ sagte Lidoine und sah hinaus. Es klang mehr wie das träumerische Aussprechen eigener Nachdenklichkeit als eine gestellte Frage.

Herr Ruy antwortete auch nicht sogleich.

Er sah zu den Wäldern hinüber, und ihm schien dahinten irgendwo ein Punkt zu sitzen, von welchem ein tiefgrünes Leuchten ausging, doch nur für einen Augenblick. Über dem Kimm der waldigen Wellen spannte der Himmel wie blaue Seide. Die Luft schien völlig still und in ihr alles eingegossen wie in Glas.

„Ich kann's nicht wissen“, sagte er kurz.

Es wurde Herbst, das war's, nun wußte er's plötzlich. Dieses Herbsten war ihm seit Tagen bemerklich gewesen

– soweit hier, in einem Lande, das südlichen Gärten glich, der Jahrzeitwechsel deutlich gefühlt werden konnte. Aber, blieben gleich die Dolden und Trauben von bunten Blüten in den Gärten, so war's das Licht, die Luft um sie, was sich zart und wie besonnen veränderte.

Zwei Edelknaben traten ein. Sie trugen zwischen sich auf einem Kissen ein langes, schlankes Schwert.

„Dies ist für Euch, Herr Ruy", sagte Lidoine. „Führt es in Euern wohlbewährten Ehren und Eurer Tapferkeit. Und wenn Euer Auge auf dem Griffe ruht, dann gedenkt des Abenteuers, das Euch hierher gebracht hat."

Sie nickte ihm zu, über ihr schmales Gesicht zuckte es kaum merklich, sie reichte ihm die Hand, und eh er noch aus dem Verbeugen sich wieder aufgerichtet hatte, ging sie von ihm fort und durch den Saal davon.

Ruy blieb in der Fensternische stehen. Er hob die Waffe von dem Kissen, das ihm die Buben darboten, und zog die Klinge aus dem Gehenk. Sie war von arabischer Arbeit, wohl das edelste, was er je in Händen gehalten. Im Kreuzgriff bemerkte er nun ein Stück von dem violenfarbenen Horn eingesetzt, das er dem Wurm vom Haupte geschlagen hatte. Und es war dieser kleine Teil von dem Drachenhorn seltsamerweise fast durchsichtig, so bearbeitet wie hier, eirund geschliffen wie eine Perle. Herr Ruy erhob den Griff gegen das Fenster und das herbstliche Sonnenlicht. Im innersten Mittelpunkte des geschliffenen Horns, das nun einem blassen Mondsteine glich, leuchtete es durch einen Augenblick tiefgrün auf.

Am Morgen warteten im äußeren Hof bei der Brücke die Freunde, Herr Gamuret und Herr Gauvain, zum Abschied.

Schon führten die Knechte Reitpferde und Tragtiere auf und ab, und Patrik sah ernsthaft und umsichtig alles noch einmal nach, die Hufe, das Zaumzeug, Sättel und Packsättel. Herr Ruy kam über den Hof.

Es wurde ein klarer, warmer Tag.

Schon war die Zugbrücke herabgegangen. Unter dem mächtigen Bogen des Torturms von gelbem Mauerwerk lag noch ein Stück des sich wendenden weißen Straßenbandes draußen sichtbar, das grüne Land dahinter, dann der Himmelsrand, und über diesem etwas Dunst in der Ferne, worein die Umrisse einer, wie es schien, größeren Stadt schnitten.

Die Freunde umarmten einander.

Gamuret streichelte Patriks rötliches Haar: „Mach's recht, mein Bub, und dien ihm gut, deinem Herrn."

Die Pferde traten herum, man schwang sich in die Sättel, Patrik hielt Ruy den Bügel und stieg dann rasch auf „Beaujeu", die ihm Herr Gauvain geschenkt hatte.

Noch ein Händeschütteln, gebeugt aus dem unruhigen Sattel, noch ein Zuruf von Freund zu Freund, schon hallte der Bogen des Torturms vom Hufschlag. Herr Gauvain und Herr Gamuret zogen blank und schlugen die Klingen mit erhobenem Arm über den Köpfen zusammen. Das war ihr letzter Gruß. Als die Reiter aus dem Tor draußen hervorgesprengt und jenseits der Brücke waren, brach hoch über ihnen, von allen vorderen Türmen her, ein rechtes Ungewitter aus den Trompeten und stürzte, atemlos schmetternd und unaufhörlich, als ein Katarakt ins Gehör der auf dem Hofe Zurückbleibenden: die Fanfare der freien Herren von Fanez, welche derberen Vorfahren einst zu so manchem Jagdvergnügen erklungen war. Das bedeutete nun der Herzogin letzten Gruß, denn die hatte es so befohlen.

Von weit draußen her, wo die flachen Windungen der Straße sich ins Land legten, kam die Antwort aus den silbernen Hörnern der Knechte: Sie nahmen die alte Weise jetzt auf.

Vor den Pferdeköpfen lag die Straße. Ihr Band schnitt in das Grün und Braun. Dahinter, seidig gespannt, wölbte der Himmel auf. In diesen schnitt der rote Strich der Stechstange, auf Ruys rechten Bügel gestemmt, nun wieder gleichmäßig in Bewegung, tickend hin und her, langsam im Schritt, rasch im Trabe. Buschwald hob sich links flach, dann Weide, Hecken, ein Giebel, ein Haus, ein Dorf.

Sie waren auch durch eine größere Stadt gekommen und dort in Herberge gegangen. Auf dem Rathaus, da eben ein Tanz stattfand, hatte man Herrn Ruy samt seinem Buben sehr herzlich und ehrenvoll willkommen geheißen, als er den Saal betrat. Der Bürgermeister selbst brachte ihm den Ehrentrunk in einem so geräumigen silbernen Becher, daß er fast einem Fäßchen glich. Und deshalb, weil er's nicht bezwingen konnte, gab Ruy den Trank an Patrik weiter, der links hinter ihm im Festwämslein stand, das Ruys Farben hatte. Der kleine Engländer hob mit beiden Händen den Becher, in welchem sein ernstes Gesicht verschwand. Die Frauen und Mädchen der Stadt, deren Blicke sich bisher in gedeckter Weise auf Herrn Ruy versammelt hatten, sahen nun alle gerührt auf den Knappen, und jedermann lobte den höchst adeligen Anstand dieses künftigen Rittersmannes, welchen er zeigte, trotz des silbernen Fäßleins, das er nun vor sein helles Antlitz heben mußte. Es schien, als seien plötzlich alle in ihn verliebt. Man erfuhr dann auch durch Herrn Ruy, daß Patrik einst einer ganzen Grafschaft in seiner englischen Heimat werde vorstehen, also einem Gebiete, das etliche solcher Städte enthielte wie diese hier.

Die Trompeten bliesen im braunen Saal, der von Rot und Gold erfüllt war, und Herr Ruy trat den Reigen mit den Bürgermädchen, und Patrik wartete den schönen Bürgersfrauen auf und wurde am Ende mehr als einmal ans Herz gedrückt und sogar geküßt. Aber er blieb voll Ernst und Anstand und suchte stets mit den Augen seinen Herrn.

Und wieder lag vor den Pferdeköpfen die weiße Straße, und wieder stach, gleichsam tickend hin und her, die rote Stange in den blauen Himmel, der hoch aufbauschte mit weißen Wolkenfahnen. Ein Dorf stand am wendenden Weg, eine Burg saß über den Hügeln.

Immer wählte Herr Ruy, wenn ein Kreuzweg sich auftat, die linke Spur, und Patrik merkte wohl, daß sie auf solche Weise, nach anfänglichem Abweichen über die Stadt, nun näher und näher an das Gebiet der großen Wälder kamen.

Sie ritten eben über eine flache, moosige Heide mit einzelnen Bäumen, als Herr Ruy ein langes Schweigen brach und sagte:

„Verstehst du es, Patrik, mit dem Bogen und Pfeil umzugehen?“

„Ja, Herr. Das kann bei uns daheim jeder.“

„Sieh dort den schmalen Baum!“ sagte Ruy, und nach rückwärts zu den Knechten: „Heda, Bogen und Pfeil für den jungen Herrn. Ein scharfes Geschoss.“

Patrik übernahm die schon gespannte Waffe und ordnete den Pfeil auf der Sehne. Dann zielte er kurz, nicht länger, als er die Sehne zog. Der Pfeil zischte hinaus und schlug mit einem hallenden Geräusch in den Baum. Ein

Knecht saß ab, lief hin und lockerte das Geschoss mit Hilfe seines Dolches wieder aus dem Holze. Der Mann sah die Spitze nach, und da er sie unverbogen und heil fand, warf er den Pfeil zu den übrigen in den Köcher am Sattel und spannte den Bogen ab.

„Du schießt gut", sagte Ruy ernsthaft, „du wirst Vögel schießen müssen."

„Das wird ein großer Spaß!" rief Patrik. „Bei uns daheim hat man die Bogen anders, wie dieser da ist, mit dem ich eben schoss."

„Wie sehen denn eure aus?" fragte Ruy.

„Sie sind sechs Fuß lang und an den Enden nicht geschweift, sondern gerade. An jeder Spitze ist ein Horn, oben größer, unten kleiner."

„Damit kann man aber nicht aus dem Sattel schießen."

„Nein", sagte Patrik. „Unsere Bogenschützen kämpfen auch zu Fuß. Sie haben vorlängst in einer großen Schlacht sogar die Ritter des Königs von Frankreich besiegt."

„Ja", sagte Ruy nachdenklich, „es war der Tag von Crécy. In dieser Schlacht kämpfte auf Seite der französischen Herren sehr tapfer ein Ritter, der blind war. Er fiel. Dieser Ritter war ein König."

„Ein König!" rief Patrik. „und welchen Landes?"

„Vom Böhmerland", sagte Ruy.

„Das ist weit von hier."

„Ja. Er hieß König Johann. Sein Sohn trägt heute die Kaiserkrone."

Patrik schien vor Staunen verstummt.

„Die Welt ist groß!" sagte er leise nach einer Weile.

„Ja, sie ist groß", antwortete Ruy lächelnd und sah auf das Straßenband, das sich vor den Pferdeköpfen hinzog.

Patrik schien es bereits nach einigen Tagen, als hätte er in seinem Leben nie was anderes getan, denn in eine offene Ferne hineinzureiten, und als sollte das auch nicht mehr anders werden. Der nickende Kopf des Rosses, die helle Straße, der blaue Himmelsrand und die sich davor verändernden Formen der Landschaft, die Hügel auf Hügel, Wald, Berg und Heide von links und rechts her gleichmäßig wechselnd in den Blick führte – das alles war seinen Augen ein gewohntes Bett geworden, darin man bei offenen Lidern gelegentlich auch schlief. Jene Unruhe, die er, seinen Jahren gemäß, oft empfunden hatte, schien verscheucht: dadurch, daß er selbst sich nun in immerwährender Bewegung befand.

Es war eine geruhige Fahrt. Herr Ruy ritt als einer – und fühlte sich auch so – der alles wohlgeordnet hinter sich gelassen hat. Jeder saß dort in Montefal über dem Seinen, wie ein Essender über Tische bei seinem Teller.

Nur er war vom Tische aufgestanden.

Der Wind sprang aus dem blauen, sonnigen Himmel, zwischen den steil aufgezausten glockigen weißen Wolkenfahnen hervor, strich über die Gebüsche am Kimm eines Hügels und griff, sich legend, leicht in die Kronen einzelner freistehender Bäume hier oben.

Sie hielten. Ruy beugte sich im Sattel vor.

Dort drüben lag es wie eine dunklere, langhin laufende Wand, das Heideland begrenzend.

„Die Wälder", sagte Patrik. Seine Augen waren blank geworden, wiesen einen tiefen, stahlblauen Schimmer. Er saß aufrecht im Sattel, das Kreuz war hohl.

„Die Wälder von Montefal", antwortete Ruy.

Der Wind sprang neuerlich an, ließ das dreieckige Fähnlein an seiner Stange oben flattern.

Noch am selben Abend schlugen sie das Lager an

einem Bache: er kam zwischen den ersten alten und knorrigen Randbäumen hervor, deren Äste weit hinaus über die Flur griffen. Das Feuer ward entzündet, als die Sonne, genau ihnen gegenüber, sich schräg über das Land setzte, alles und jedes in ihrem Glast verwebend, so daß der Ausblick schwand.

„Wir werden sie", sagte Ruy, „beim Einreiten des Morgens vor uns, des Abends aber genau im Rücken haben: und damit den sicheren Weg, der uns jederzeit wieder aus dem Walde führen kann."

Die Knechte, welche am Feuer hantierten und die Pferde absattelten, warfen lange Schatten. Zwischen die Bäume des Waldes schoben sich einzelne tiefrot erglühende Lichtbahnen. Die Sonne saß am Himmelsrande, über Hügeln, und der aufgebrannte Horizont stand klar und rein wie Lack.

„Herr", sagte Patrik, der mit Ruy unter den Bäumen ging, nach einigem Zögern, „haltet Ihr nicht für möglich, daß man jenes Untier, das hier in den Wäldern haust, am ehesten durch einen wohlgezielten Bogenschuss erlegen könnte, der ins Auge träfe?"

Ruys Antlitz verschloß sich, als fiele ein unsichtbares Visier darüber.

„Nein", sagte er streng. „Es ist unsinnig, was du da sprichst, und hüte dich, dergleichen zu versuchen. Ich verbiete es dir, verstehst du wohl?"

„Ja, Herr, ich hab's verstanden", sagte Patrik bescheiden.

„Hier schieße!" rief Ruy nach einer Weile, „und zeig, daß du treffen kannst, auch wenn es bereits dunkelt!"

Er wies auf einen breiten Ast, der aus dem Wald in die untergehende Sonne ragte. Nebeneinander und reglos saßen drei fette weiße Vögel. Patrik lief um den

Bogen. Zwei Pfeile trafen. Erst das dritte Tier hob sich danach und flatterte langsam in den Wald.

„Gut so. Ein Abendessen!“ lachte Herr Ruy und klopfte Patrik auf den Rücken.

Am Morgen räumten sie zeitig das Lager und ritten längs des Baches in den Wald ein. Der Weg war leicht und das Vorwärtskommen also gut. Sie hielten sich stets an der Wasserader, die, ohne ihre Richtung im Ganzen zu verändern, immer geradewegs aus dem Walde ihnen entgegenlief. Bald hatten sich die lichten Säulenhallen wieder ganz um die Reiter geschlossen: soweit der Blick, soweit die Stämme und das Grün und stellenweise ein geringes Unterholz. Patrik sah sich viel um während der ersten Stunden des Rittes – nach rechts, nach links, nach vorne und zurück. Aber der Wald drang von überall immer ganz gleich und unbewegt in sein Auge. Bald gewöhnte sich dieses an die lichten, wandernden Bäume und fand sein geruhiges Bett darin, wie früher in der offenen Ferne.

Gemachsam ging die Reise. Der Bach erweiterte und sammelte sich da und dort: Weiher blinkten in den heißen blauen Himmel zwischen dem offenen Rund der Baumkronen, man wählte solche Plätze gern zum Lager, und die Knechte ritten mit abgesattelten Rossen rauschend ins Wasser, um sie zu schwemmen. Den Tragtieren, mit dem Hafer beladen wie immer, den man zuletzt noch erhandelt hatte, wurde ihre Last kaum leichter, die Weide war hier überall vortrefflich.

Am neunten Tage etwa befahl Herr Ruy, das Lager bequemer einzurichten. Sie spannten ein Zelt, und die Knechte schufen sogar Tisch, Bänke und Ruhebetten aus jungen Birkenstämmen, die hier ihre weißen Striche in den Wasserspiegel setzten.

Derweil streifte Herr Ruy, meist im leichten Jagdkleid, mit dem Buben erkundend durch die Wälder, zu Pferde oder auch zu Fuß. Am Bache aufwärts fanden sie den Wald bald etwas ansteigend, da und dort eine Fichte oder Rottanne zwischen den Laubbäumen.

Als dann der Lagerplatz bereits manche Annehmlichkeit bot, stellte Herr Ruy das Herumstreifen ein, blieb an Ort und Stelle und sah den Knechten zu, die neben dem Zelt, das nun fast einer geräumigen Hütte glich, eine Art Backofen errichteten, aus Steinen vom Bach und Weiher, so daß man den Mehlsack, welchen das eine Tragtier auf dem Rücken gehabt hatte, nun allmählich in ein Eßbares verwandeln konnte, wofür der Name Brotfladen etwa entsprechend gewesen wäre, freilich nur, wenn man dabei ein Auge zudrückte. Patrik schoss Vögel, Beeren gab es auch, sie wuchsen hier sogar überaus groß, zudem Haselnüsse und Pilze. Der gewaltige Weinschlauch war, nebst weiterem Hafer, diesmal von dem „Destrier" getragen worden. Herr Ruy hatte vorgesorgt.

Aber nun war er anscheinend ohne Sorgen und lag auf dem Rücken, und ganz wie in Montefal stand neben seinem Ruhebett ein schwerer Stuhl, nur jetzt aus Birkenknüppeln, aber mit Kissen und Decke belegt, und in diesem Stuhl pflegte Patrik nach dem Schachspielen einzuschlafen, wobei sein rotblondes Köpfchen gegen die eine Lehne sank. Es war so still oft, daß er lange schlief und ihn etwa erst das Plantschen und Rauschen an dem Weiher erweckte, in welchen sein Herr sich geworfen hatte, um zu schwimmen, oder das plötzliche Schnauben der weidenden Rosse.

„Ihr besorgt nichts von dem Wurm?“ fragte er einmal seinen Herrn.

„Nein“, sagte Ruy. „Seine Spuren sind nirgends im Laubwald anzutreffen. Darum erkundete ich die Gegend hier, und es erwies sich mir, was ich seit der ersten Fahrt schon wußte: das Reich des Drachen ist die bergige Mitte dieser Wälder.“

Über den Kronen stand der Himmelsraum heiß und blau, offener über der Fläche des Weihers, beschwankt von den sich leise regenden Wipfeln. Das Wild wechselte in geringer Weite durch den Wald, so lautlos wie die schräg einfallenden Sonnenstrahlen, wenn sie bei sich neigendem Tage von seitwärts zwischen die Bäume greifen.

Was ihr Herr hier wollte, das wußte weder Patrik, noch konnten die Knechte sich's deuten.

Der „Banier“ schien zerstreut, abwesend, er sprach fast nichts. Über dem Schachbrett konnte er lange brüten bis zum nächsten Zug, und dieser erwies klar, daß seine Gedanken nicht bei den Feldern und Figuren gewesen waren. Herr Ruy lag oft stundenlang mit offenen Augen auf dem Rücken.

Jedoch eines Morgens sprang er mitten aus solcher Ruhe empor und befahl Roß und Rüstung. Die Knechte eilten. Und Patrik sattelte seine „Beaujeu“.

„Du bleibst hier, mit den Leuten, beim Lager. Wird es finster, dann laß von Weile zu Weile die Hörner blasen“, sagte Ruy.

Der Knabe gehorchte schweigend, das Stahlblau seiner Augen erlosch, und er war wie von Schmerz gebeugt, während er seinem Herrn den Bügel hielt. Dieser saß auf den „Destrier“. Etwas Brot und Fleisch war in die Satteltasche gesteckt, die Kürbisflasche mit Wein darangehängt worden. Herr Ruy ließ auch den Helm an den Sattel schnallen und ritt davon, den schwarzen Krauskopf unbedeckt, den leichten Kettenpanzer bis über die Brust herab geöffnet und die Stechstange nach seiner Gewohnheit auf den rechten Bügel gestemmt. Durch eine Weile noch sah man den roten Strich zwischen den Stämmen bachaufwärts wandern, hörte man den Huftritt des Pferdes. Dann wurde es ganz still. Patrik preßte die Hand vor seine Augen.

Nach einstündigem Ritt dauerte der Laubwald noch immer an, nur änderte sich die Art der Bäume, in der Nähe einer weiten Lichtung etwa, die sich wie eine Aue längs des Baches hinzog. Bis hierher war Ruy mit dem Buben schon gelangt. Ein bräunliches Leuchten stand vor dem Himmel. Die Birken zeigten als die ersten den Herbst. Ihre weißen glatten Säulenreihen wurden hier für eine Strecke herrschend, eine silberne Harfe für die durchfallenden Sonnenstrahlen. Da und dort schaukelte ein Blatt in der Luft, und eines fand seine Ruhe gerade vor Herrn Ruy, in der schwarzen Mähne des Pferdes.

Der „Banier“ ritt in der Tat ohne jedes Ziel hier durch den Wald, und was Patrik beim Abschied ahnungsvoll besorgt hatte, das lag ihm nicht im Sinne. Sein plötzlicher Aufbruch, sein Vertauschen des Stilliegens mit dem Reiten stellte nur zwei verschiedene Seiten eines gleichbleibenden traumhaften Zustandes dar, der ihn umfing, und jetzt im Sattel ebenso wie dort auf dem Ruhebett aus Birkenknüppeln. Er saß bequem, das schwere starke Pferd, dem dieser schlanke Mann kaum eine Last war, ging munter und runden Halses zwischen den Stämmen dahin.

Der Boden hauchte hier kräftig-süßen Duft, der dem

reifenden Obstes verwandt schien; da und dort lag schon ein Strich gelber Blätter gestreut, die des Rosses breiter Huf in die Erde trat.

Ruy sah nicht auf den Weg; ihn suchte der trittsichere „Destrier“ allein. Sein Blick lag immer voraus in die Höhe der hier so bunten Baumkronen erhoben. Wer ihn hätte sehen können, wie er da durch den lichtstehenden Wald ritt, dem wäre dieses Antlitz vielleicht als ein andächtiges erschienen. Jedoch war es nur geglättet und ruhig, weil verlassen von den Kräften, welche diese Züge einst gebildet und ihnen eine Richtung gewiesen hatten. Die Richtung gab jetzt der Bach, das Pferd, welches sich aus seiner Natur in dessen Nähe hielt, der offene Raum des Waldes, der gangbare Weg, die entgegenfallende Sonne, die mit ihren warmen Strahlen Stämme, Blätter und Äste ebenso streifte wie den wandernden roten Strich der Stange auf dem Bügel oder das Antlitz des Reiters, dessen gelöste Züge in ihr glänzten.

Der Nadelwald setzte flach an, noch freier wurde der Weg. Das weiße und goldbraune Leuchten der Birken erlosch im Rücken. Zwischen den riesigen Stämmen dehnte sich der Boden wie glatter Estrich einer Halle. Da und dort stand einzelnes Buschwerk wie von inwärts durchglüht bei einfallenden Strahlen der Sonne; das Grün leuchtete tief. Immer noch lief der Bach nebenher. Sein Glucksen und Murmeln war jetzt deutlich hörbar. Die Steigung des Bodens nahm zu.

Ruy hielt, saß ab und ließ den Sattelgurt nach. An einer ebenen Stufe sammelte sich hier der Bach in einem Becken, darin jetzt mit den vorderen Hufen das Pferd stand und soff, während Ruy den Haferbeutel vom Sattel lockerte und herabnahm. Roß und Reiter genossen ihre Mahlzeit in guter Ruhe. Herr Ruy empfand bei alledem seine eigene Zerstreutheit wohltuend wie ein Bad. Er klopfte den feisten, glänzenden Hals des Pferdes und sah an den turmhohen Stämmen empor, zwischen den strahlig ineinandergreifenden Ästen hindurch in den weit dort oben blauenden Himmel, vor welchem sich letzte kleine Spitzen der Tannenzweige dunkel und schwindelnd abhoben. Der Gedanke an den Wurm, in dessen Bezirke er ja nunmehr eingeritten, ließ ihn ruhiger, als ihm selbst begreiflich war; ein solches Gefühl der Sicherheit konnte nicht nur aus der richtigen Überlegung kommen, daß der ungeheure und weithin hörbare Lärm des Tieres bei seiner Fortbewegung allein schon die Gefahr fast aufhob. Sondern Herr Ruy fand sich hier für die Vorstellung irgendeiner Bedrohung – und sei das welche immer – ganz unzugänglich und geborgener, als er je auf Montefal sich gefühlt hatte.

Nun aber, während er aß und trank, fiel ihm ein, daß es schon hoch am Tage sein müsse, und er versuchte nochmals, nach dem Stand der Sonne zu sehen. Während sein Kopf dabei im Genicke lag, lächelte er plötzlich. Er gedachte seiner Anordnung, heute bei einbrechender Finsternis im Lager die Hörner blasen zu lassen. Solche Finsternis stand eigentlich nicht zu erwarten, denn man hatte den vollsten Mond. Dies war ihm offenbar entgangen während der vorigen Nächte; und doch auch wieder nicht: denn er wußte es ja. Er stand und hob dem Pferde den fast geleerten Hafersack noch ein wenig und sah abwesend am Kopf des Tieres vorbei in den kleinen Wasserspiegel, von der recht verwunderlichen Vorstellung gestreift, der Mond müsse rein an ihm vorbeigeschienen haben, um solchermaßen übersehen worden zu sein. Diese Tage im Waldlager wurden ihm plötzlich ganz seltsame.

Vereinzelte Käfer oder Mücken summten zwischen den tief durchgeschwungenen unteren Ästen der Bäume. Der Bach, welcher sich hier nach rechts in einen Graben wandte, hatte dort zahlreiches Grün aufsprießen lassen, das jetzt, von einem durchs Geäst tastenden Sonnenstrahle berührt, wie ein Smaragd sich erleuchtete, den man vor eine Flamme hält.

Herr Ruy strammte mit Sorgfalt den Sattelgurt, saß wieder auf und zog das Schwert mit dem Drachenhorn im Knauf aus der Scheide. Denn er verließ jetzt den Bach, und so hieb er mit der Klinge von Baum zu Baum einen Flecken Rinde herunter, den Weg zu bezeichnen, welcher zur Beugung des Bachs und damit wieder zum Lager führte. Jedoch waren noch keine dreißig Bäume angeschlagen, als der Wald überraschend eine jener flachen mit Almgras bewachsenen Kuppen freigab. Von einem vorstehenden Randbaum entfernte Herr Ruy noch ein breites Stück der Borke. Das bloße Holz leuchtete weithin deutlich. Hier war auf dem Rückwege zwischen die Bäume einzureiten.

Er senkte das Schwert in die Scheide. Ein leichtes Verschieben der Schenkel: und vom Stande weg zog das Pferd in einem einzigen gleichmäßigen Galopp die sanfte Steigung hinan bis zu dem runden Gipfel.

Ruy hielt in der Sonne, unter dem leise sich regenden dreieckigen Wimpel an der Stechstange oben. Während sein Blick, hin und her gewendet, über das Auf und Ab waldiger, grasiger und felszackiger Kuppen bis an den Himmelsrand lief, der auf die fernsten Erhebungen eine Art bläulichen Scheines legte – während dieses Schauens in eine plötzlich vor ihm entblößte Weite war es wieder ein Kleines, was ihn seltsam beschäftigte. Nämlich, daß über ihm der Wimpel an der Stange stand. Man hatte vergessen, ihn nach dem Beginn des Waldrittes zu bergen. Nun erst bemerkte es Herr Ruy, und er verwunderte sich darüber. Zum zweiten Male schon heute fanden die bescheidensten Dinge des Lebens wie in einer neuen Sprache zu ihm hin.

Er warf noch einen Blick über die beinahe vertraute Landschaft und ritt die Kuppe auf der anderen Seite hinab und gegen den Wald zu. Dieser senkte sich ein, in der Form eines schmalen Tales, das gradaus verlief und genau in jener Richtung weiter, aus welcher Herr Ruy kam. Der Rückweg war in keiner Weise verfehlbar. Der Wald hatte hier dichteres Gebüsch und mehr niedriges Grün allenthalten wie auf der anderen Seite. In dem Gemisch von Laub- und Nadelholz, welches da stand, leuchteten herbstlich-rot die Vogelbeerbäume, hingen die Berberitzen, und da oder dort, wo das Moos in braungrünen Flächen lag, lugten die breiten Hüte der Fliegenpilze. Herr Ruy brach durch die Dickung, das Gebüsch rauschte an den Bügeln, und dann ritt er zwischen den weit auseinanderstehenden Bäumen dahin in dem Tale, den runden Hals des Pferdes vor sich, überragt von der gemachsam bewegten Stange mit dem Fähnlein, den Blick wieder erhoben und verloren in den helleren und dunkleren Kronen.

Diese traten jetzt zurück. Eine Waldwiese öffnete sich längs des Talbodens.

Herr Ruy hielt an. Soweit das feuchte Grün lief, so weit sprenkelten es die Herbstzeitlosen. Hier wurde die kommende Jahrzeit wieder ganz offenbar. Jenseits und fern, wohl über dem Ende des Waldtals, hob sich ein Berg, staffelten Felstürme und Grate gegen den blauen, seidigen Himmel.

Ruy schloß und öffnete die Augen zweimal. Dann

kniff er die Lider ein, um schärfer zu sehen. Aber es hätte dessen nicht bedurft. Die Bewegung auf dem Grate war für den Kundigen gegen das Himmelsblau nicht zu verkennen. Langsam verschob sich das, den Fels überwandernd, und verschwand dahinter in der Ferne, Zakken um Zacken.

Herr Ruy atmete tief. Als ergriffe den Heimgekehrten der Anblick vertrauten Hügelschwunges, so ihn, was er dort über dem Felsen sah. Er breitete die Arme aus, soweit Zügel und Stechstange es erlaubten, und tief sank der Wimpel nach rechts. Seine Lippen öffneten sich, und nun geschah, was Herr Gamuret schon am Hofe von Montefal klug bemerkt hatte: der freie Herr von Fanez wußte manchmal Verse. Aber wenn die meisten seines Standes diese Kunst an eine schöne Frau zu wenden pflegten, so war diesmal der Gegenstand solchen Dichtens ein seltsam anderer: nämlich ein in der Ferne verschwindendes Untier. Er sprach vor sich hin, und wie aus einem Traume:

Da kriechst du wieder, wie das Schicksal selbst,
am Grund der Wälder und wie tief im Meere,
langsam und schweigsam und in deiner Schwere
dem Träumer eine ärgerliche Lehre,
und dem, der eitle Pläne wälzt.

Doch wer dich antritt ohne so zu wollen
und ohne heiß zu sein von Eitelkeiten,
dem wirst du einen tiefen Blick bereiten
in braune Waldesaugen, in den lebensvollen
Abgrund, in die eigne Mitte ...

Von rückwärts fiel eine frische Stimme ein:

Mich freut's, den Herrn nach alter Rittersitte
beim Versemachen anzutreffen. Und zu zweien
läßt sich's noch besser dichten. Hört dies Lied:

Ruy wandte sich um, jedoch ganz ohne zu erschrecken. Es war der Spielmann. Er saß auf einem leichten Braunen, den bebilderten Köcher und den Bogen am Sattel, und sah Herrn Ruy aus seinen etwas schräggestellten Augen lustig an, während die rechte Hand über die Saiten der großen Doppellaute ging, welche in seinen Armen lag: jetzt brauste das Spiel mächtig auf, wie Orgeln erfüllte es den Wald, und er sang:

Es zieht die Ferne,
es glüht die Nähe,
wie Edelstein schimmert des Waldes Grund.

Leicht sitzt die Klinge
die sausende – singe, o Leben,
Dein Summlied mir, o Geheimnis,
küsse im tiefen Wald meinen Mund.

Die frohen Fernen, härtere Herbste,
weitere Bahnen, des Mannes Leid,
gestreut im Lande, am Straßenbande,
die Burgen, die Dörfer weit.

Noch tönte das Lied, und es brausten gewaltig die Saiten. Jedoch der Sänger war verschwunden. Die letzte Strophe klang, sich entfernend, wie vom Waldrande drüben her:

Und Gefechte und Fahrten
und frohes Erwarten der hellen Trompeten
des Morgens frühe –

leicht geht die Hand, und nichts wird mir Mühe –
o gestreut im Lande, am Straßenbande,
die Hügel, die Wälder weit!

Nun schien es, als könnte Herr Ruy den Sänger wieder sehen, für einige Augenblicke: er ritt am linken Rand der Lichtung im Schatten der Bäume. Doch war es jetzt so, als spiele der Reiter dort drüben nicht mehr die Laute, vielmehr schien er eine Fiedel zu streichen, deren durchdringend süßer Ton aufjauchzte und erstarb. Er saß herumgewendet im Sattel und sah auf Herrn Ruy herüber. Dabei, durch den Glanz der schon schrägen Sonnenstrahlen auf der Lichtung und das Waldesdunkel, aus dem jener dort drüben blickte, wurde das Auge des Herüberschauenden selbst unsichtbar, und Herr Ruy sah nur für eines Gedankens Länge zwei leere Höhlen auf sich gerichtet.

Dann blieb es still.

Als hätte ein seltsam gelaunter Künstler sich darauf verlegt, hier in der Einsamkeit das Denkmal des letzten Mannes zu errichten, der fähig gewesen war, im tiefen Wald einen Drachen leibhaftig zu erblicken: so reglos hielt Herr Ruy am Rande der Waldwiese auf dem regungslosen Pferde.

Es war ein schönes Standbild, überragt von dem jetzt wieder senkrechten roten Strich der Stange mit dem Fähnlein obendran. Die Züge der Figur waren milde, geglättet und ruhig, der Blick leicht erhoben, etwa zu den einzelstehenden Bäumen am Bergkamme jenseits der Lichtung, welche dort, einander übersteigend, zu den Felsen emporwanderten und sich, trotz der Entfernung, mit feinem Geäst vor den rückwärtigen Himmeln abhoben. Die Haltung des Reiters am Rande der Waldwiese schien eine stolze, er saß aufrecht und etwas steil und steif im Sattel, und das paßte wohl zu dem rundgebogenen Hals des starken Pferdes. Hinter diesem Hals schimmerte in mattem Silber der Brustpanzer. Waren sie an sich schon etwas feierlich, Roß und Reiter, in dieser vollkommenen Stille und von den schrägen Strahlen der Sonne umfaßt, die in den Wipfeln wob, so erhöhte sich solche strenge Pracht noch durch das Aufleuchten des purpurnen Zaumzeuges und der Zügel, die in der schön behandschuhten Hand unbeweglich lagen, und den grüngoldnen Glanz einer lang herabzipfelnden Satteldecke.

Das tiefe Schweigen dieser Wälder, worin ein Vogellaut nur selten konnte gehört werden, brachte deren eigene Stimme selbst herauf, zwischen den Stämmen und dem immer mehr von der Abendsonne vergoldeten Luftraume über dieser eingefaßten Wiese mit den violenfarbenen Tupfen der Herbstzeitlosen, unter den rückwärts über den Wald staffelnden Felsgraten, die jetzt einen leuchtend an sie gelegten Abendschein in unbestimmte Fernen hinausspiegelten: es war diese eigene Stimme des Waldes nicht ein schaukelndes und fallendes Blatt, nicht ein Rascheln im Gebüsch oder der zarte und hurtige Lauf eines Eichhörnchens an einem Stamme. Eher schon, daß der Boden selbst atmete und lebte oder das immerwährende Einsickern des Himmelslichtes zwischen den Wipfeln hörbar ward, und darüber hinaus höchstens noch das Wispern ganz merkwürdiger und kaum sichtbar zarter Geschöpfe, die unter einem Fliegenpilz in guter Ruh und in dessen längerwerdendem Schatten saßen, die Händchen über dem Bauch gefaltet.

Solche waren es, deren Blicke allein, glaszart und von überallher kommend, auf dem einsamen Standbild an der Waldlichtung ruhten. Sie sahen auch ein leichtes Lächeln, welches als einzige Bewegung während einer vergehenden halben Stunde über die geglätteten Züge der Figur spielte. Es galt aber dieses Lächeln dem edelfesten Freunde Gamuret, freiem Herrn zu Fronau, Pfleger zu Orth und Herrn von Weiteneck, und seiner Frage, wie eine schwere Fahrt denn am End noch ihre Vernunft bekommen solle, wenn man den Preis nicht nähme.

Das war nun alles, was während der ganzen Zeit geschah und sich regte, außer einer allmählichen Abwandlung des Lichts in den röteren abendlichen Schein, der flach am Boden ging und zwischen die Stämme hinein in breiten Bändern und das Innere von Gebüschen zu grünglühenden Grotten machte und etwas höher noch, an einem Vogelbeerbaume, ein rotes Büschel der herbstlichen Früchte leuchten ließ.

Der „Destrier“ hob die rechte Vorderhand, stampfte mit dem breiten Huf einmal dumpf auf und scharrte.

Als er's zweimal getan und sein Herr dessen nicht achtete, wandte sich das große Pferd in die Richtung, aus der man gekommen war, und schritt aus.

Herrn Ruys Hände blieben unbeweglich.

Langsam ging das Roß durch die beginnende Dämmerung des Tales, brach am Ende durchs Gebüsch, das an den Bügeln rauschte, und begann, den Waldrand hinter sich lassend, die flache, mit dem Almgras bewachsene Kuppe zu ersteigen. Man ritt jetzt geradewegs in die sinkende Sonne hinein, und der aufbrennende Horizont warf die Wälder in tiefe Tinte. Dem Abendbrand gegenüber aber war schon der Mond in den Himmel gerückt und schwebte glasig und fett über der rückwärtigen Ferne, mit seinem Licht, das allenthalben in die Täler sank, jedwede Tiefe als Schatten hervorhebend.

Als ritte er einem feierlichen Leichenzuge voran, der sich hier im doppelten Licht des schwindenden und des steigenden Gestirns hinter ihm ordnete, so zog Herr Ruy langsam über die Kuppe, deren Gras im Mondschein wie dünnes Haar glänzte. Es war aber dieser Zug hinter ihm ein reicher und vielfältiger: der silberne Schein von Rüstungen schmolz flüssig im Mondlicht über dem fettigen Glänzen des Brokates, dem scheuen Lichte der Seide. Sie alle mit ihren Fähnlein an den Stangen. Sie alle mit ihren Damen, deren Lieblichkeit gehöht ward durch den Mond. Auch die bunten bräunlichen Feinde aus dem Heiligen Land ritten mit im Zuge, mit Turban und Bogen, und sie sahen dabei dem Spielmann ähnlich. Aber Spielleute waren viele im Zuge, da und dort rauschte ein Lied auf, lachten die Damen, applaudierten die Herren, und jedes Liedes Aufsteigen war, als zeigte man es noch einmal her, als erinnerten sich dabei alle und wüßten, daß es nicht mehr sein würde. An manch einer Schläfe unter der Haube von Spitzen und Gold legte sich das blauschwarze, das blonde Haar, und die schönen Zelter zeigten im sanften Gang, wie sorgsam man sie für diese Damen von einstmals zugeritten hatte.

Auch Könige waren im Zuge, einer davon blind, und da er bei einem anderen König zu Gaste gewesen, als gerade ein Krieg ausbrach: so war dieser blinde Ritter mit im Heer seines Freundes geritten, keinem Zweck der Heerfahrt nachreitend, wohl aber dem leuchtenden und prunkvollen Gestirn der Ehre, das mit ungeheurem Glanz im Innern seiner erloschenen Augen aufgegangen schien.

Längst war Herr Ruy mit der Spitze des Zuges wieder in den Wald getaucht (aber die eigene Schwertmarke an der Borke des Baums hatte er nicht mehr beachtet, sondern der „Destrier“ fand seinen Weg), als des bunten und vielfältigen Gefolges Mitte gerade im Mondlicht langsam die Kuppe überschritt: diese Mitte des Zuges bildeten die Chimären. Ihr Erscheinen bedeutet allemal einen Wechsel der Zeiten, und so hatten sie sich denn hier wieder eingestellt, seltsame Gestalten, aus Ziege, Wolf, Löwe und Fledermaus vereinigt. Sie wandelten nicht ohne Würde lautlos dahin, beglänzt an Krallen, gespreiteten Flügeln, spitzem Ohre, hohem Halse. Und solchermaßen schritten sie auf der anderen Seite des Bergs wieder hinab und verschwanden im Walde, während es oben im Mondlicht auf der Kuppe noch reich strömte und nachwogte, alles mit dem bedächtigen Anstand, welcher so großem Anlasse geziemt. Doch fiel auch das oder jenes scherzhafte Wort unter den nachreitenden Damen und Herren über die chimärischen Ungeheuer: aber diese gingen ungerührt ihres Weges mit dem steifen Prunk ihrer seltengesehenen Pracht.

Im Walde hielt stützig das Wild, dem die Augen wie große schwarze Herzkirschen aus dem Kopfe traten, weil das Getier des Waldes alles Geistige leibhaft sieht. Dem vorbeiziehenden Pompe folgte auch mancher kluge und wissende Blick winziger Wesen, zwischen den Wurzeln der Bäume hervor spitzen Gesichts, oder von den Ästen herab, wo sie, nachlässig mit kleinen Beinchen baumelnd, in einem Mondstreifen saßen.

Silberner Hörnerklang erhob sich leise begleitend, als nun der breite Trauerzug Birkenwald und Aue betrat. Vorne glänzten unter des „Destriers“ Hufen die gefallenen feuchten Blätter wie metallene Scheibchen. Herr Ruy saß aufrecht im Sattel, seine Haltung war stolz und abweisend. So ritt er, während jetzt die Hörner wieder bliesen, eine Stunde später auf das weiche, gelbe Lecken der Flammen zwischen den hohen Stämmen zu und hielt beim Lagerplatze drei Schritte vor dem Feuer so reglos wie früher im Walde. Sein Blick ging über Patrik, über die Knechte hinweg in die Baumkronen. Am glänzenden Hals des Pferdes, am Panzer, an der Spitze der Stechstange oben spielte das flackernde Licht.

Auch Patrik, wenngleich durch die glückliche Rückkunft seines Herrn aus wahren Qualen der Sorge erlöst, blieb zunächst wie erstarrt, so fremdartig wirkte die Erscheinung. Dann sprang er, und mit ihm die Knechte, herzu, man half Herrn Ruy aus dem Sattel und entledigte ihn der Rüstung. Er trank zwei Becher voll Weines hinab, der Knabe bereitete eilends das Lager, und sein Herr sank hin und schlief bis in den nächsten Vormittag.

Sie brachen sodann das Gezelt ab, um aus dem Walde zu reiten, und die Reise wurde jetzt eilig. Immer bachabwärts, des Abends der Sonne entgegen, die zwischen Laub und Stämmen glühte, gelangten sie nach kaum einer Woche schon zu ihrem einstmaligen Lagerplatz beim Austritt des Baches aus dem Walde, und das Feuer flackerte wie damals bei den ersten alten und knorrigen Randbäumen und an der gleichen, noch verkohlten Stelle.

Die Fahrt wandte sich von da ab zur linken Hand ins offene Land hinaus und hinab, bei sommerlicher Wärme, und diese schien an Glanz und Milde sich noch zu steigern in den sanften Talgründen, wohin man jetzt gelangte. Hier war vom Herbst noch kaum was zu spüren. Tiefgrün und leuchtend zog sich das hohe saftige Gras hin und bis unter die Bäume hinein und mit dem strengen und feinen Dufte eines hier allenthalben wachsenden Krautes an den Bächen entlang, von denen dieses Land vielfach durchzogen war; in ihrem Spiegel verdunkelte und vertiefte sich des Ufers Grün um einen Ton näher dem Schwarz und dem Braun vom Grunde des Wassers, welcher durch die Sonne herauftrat. Man ritt nun gemächlich. Herr Ruy schwieg und sah zur Seite des Wegs in das langsame und schlierige Fließen.

Eines Morgens näherten sie sich einer Mühle, wohl zur nächsten Dorfmark gehörend. Als sie jedoch auf der staubigen Straße vor das Haus kamen, zeigten sich dessen Fenster und Türen schwarz ausgebrannt, das Werk zerstört, die Ställe zertrümmert. Noch lag der scharfe Geruch des verkohlten Holzes in der Luft von dem Brand, den erst ein kürzlicher Regen unterbrochen und gelöscht haben mochte.

Schwarz gähnte das Innere der Mühlstube.

Weit drüben vor dem Himmelsrande stand Rauch.

Herr Ruy blieb halten und sah in das zerstörte Haus.

„Patrik", sagte er dann, „du reitest nun mit den Knechten zu unserem Lager von gestern, beim letzten Dorf. Dort erwartet ihr mich."

Der Knabe, unruhig, konnte die Mühe nicht verbergen, mit welcher er sich beherrschte. Seine großgeöffneten Augen lagen am Himmelsrand und auf der Rauchwolke, die sich dort erhob.

Ruy drängte sein Pferd dicht an das Patriks und drückte den Kopf des Knaben einen Augenblick lang an seine Schulter.

„Sei ruhig, mein Bub", sagte er, „ich will's mit Vorsicht erkunden und bald wiederkommen. Unser vier sind dabei zu viele." Und dann ließ er den „Destrier" fertigmachen und nahm die Waffen, Helm und Schild.

Einige Augenblicke hielten sie dort noch beisammen vor der Mühle, die Pferde traten unruhig herum. Als Ruy, nach Patrik, auch den Knechten die Hand reichte, war ein blankes Erschrecken in allen drei Augenpaaren.

Des „Destriers“ machtvoller Trabschritt ging auf der stäubenden Straße dahin.

Herr Ruy sah nicht links und rechts.

Er mußte gleichwohl wahrnehmen, daß die Dorfschaft, durch welche er nun kam, leer schien und ausgebrannt. Zerbrochener Hausrat war auf die Straße geworfen. Vor einer Steintreppe, die zum Hausgang emporführte, lag in der Sonne ein erschlagener Mann, dem bäuerlichen Kleide nach wohl von hier, und vielleicht vor seinem eigenen Hause getötet. Überall sah man die Spuren gewaltsamen Wütens, wie Raubgesindel sie zu hinterlassen pflegt. Der „Destrier“ stieg über eines Spinnrads Trümmer, mitten im Wege.

Herr Ruy ritt rasch dahin in seinen vollen Waffen, der Rauchwolke entgegen.

Schon vom Eingang des Dorfes her sah er die wüsten Gesellen mit ihren Pferden auf dem Dorfplatze, wie sie die Bauern stießen und schlugen, während man Spinde und Truhen bei den Fenstern hinauswarf und den aufgebrochenen Inhalt durchwühlte.

Jetzt hatte man wohl den geharnischten Mann auf dem schweren Pferde bemerkt, denn flugs flog alles in die Sättel.

Herr Ruy nahm die Stechstange in die Beuge des Arms und den Schild hoch. „Montefal! Montefal!“ tönte sein Schlachtruf. Als ritte er unter hellweißen, zerrissenen, im Winde knatternden Fahnen durch, so war's ihm beim Angriff. Jene Fahnen schlugen sich jetzt wie Spruchbänder rechts und links über ihm hin, und auf jedem stand ein Satz des einst geleisteten Gelübdes:

‚Den Bedrängten zu helfen . . .‘

‚Die Witwen und Waisen zu schützen . . .‘

Er verstand kaum den Sinn, es waren nur mehr Worte, Worte in goldenen Buchtsaben, zur Not wiedererkannt.

Mit Wucht brach der scharf gespornte „Destrier“ in den Feind. Zwei Pferde fielen, ein dritter Sattel war leer, erst den vierten Mann hob die Stechstange aus dem Sitz. Als schäumte alle Jugendkraft noch einmal auf in Herrn Ruy, um für immer zu zerstäuben, so trug ihn der Kampf, als, nach dem Splittern der roten Stange, der Herzogin von Montefal Degen mit dem Drachenhorn aus der Scheide fuhr. Die gebundenen Klingen rangen wild hin und her, als wollte man dem Gegner den Arm aus der Schulter drehen. Aber da die Bauern, nunmehr ermutigt, sich zusammenrotteten, vielleicht des Glaubens, es käme noch mehr Hilfe, sprengte plötzlich die ganze Horde davon und beim andern Ende des Dorfes hinaus. Herr Ruy wollte folgen. Jedoch zu seiner eigenen Verwunderung sank er rasch und weich rechter Hand vom Pferde, fühlte noch, daß jemand seinen Kopf hob, und die Kühle des Wassertrunks an den Lippen: aber schon sah er nichts mehr als ein tief leuchtendes Grün, stark wie die Sonne, auf dem braunen Grund eines letzten Ermattens.

IM BRENNENDEN HAUS

1931

Die Art, wie er sie damals herumkriegte, ist einigermaßen seltsam gewesen. Sie war von ihm schon glücklich bis an den äußersten Rand gedrängt worden, war gut durchgekocht, brodelte und ‚erkannte sich selbst nicht wieder'. Daß hier eine Kette höchst fragwürdiger Liebesszenen von turbulenter Zärtlichkeit vorausgingen, brauche ich wohl nur nebenbei zu erwähnen. Schlaggenberg pflegte stundenlang oben in der Wohnung der Generalmajorin mit Laura zu flüstern (was die alte Dame sich dabei für Gedanken und Hoffnungen machte, weiß ich freilich nicht, aber vielleicht waren es wirklich Hoffnungen). Zum Zwecke dieser Zusammenkünfte zog sich das Paar meistens in den Salon zurück, welcher als letztes Zimmer der Wohnung den Vorteil einer gewissen Entlegenheit bot. Die Türen blieben offen. Schlaggenberg verstand es übrigens auf recht pfiffige Art, bei alledem so halbwegs das Dekorum zu wahren, er kam oft zwei- und dreimal hintereinander absichtlich nur, wenn er auch die alte Dame zu Hause wußte, blieb dann mit Laura die ganze Zeit über beharrlich in deren Gesellschaft und machte fleißige Konversation. Dafür gab es dann zur Entschädigung auch wieder einmal einen Nachmittag mit dem Objekt seiner Wünsche allein, wenn er dessen versichert sein konnte, daß nur Laura sich in der Wohnung befand, und auch die Aufwärterin weggeschickt worden war.

Zu jener Zeit weigerte sich Laura noch, Kajetan auf seiner Bude zu besuchen.

Wahrhaft, von ihm läßt sich sagen: das Fleisch war willig, aber das Herz war verdammt schwach! – Der

Salon in der Wohnung der Frau Generalmajor war ein rechter Angsttraum besseren Militärstiles. Hier herrschte eine sozusagen von allen geistigen Keimen freie, eine völlig sterile Luft. An der Wand hing ein Schlachtenbild von erheblicher Größe und mit viel Pulverdampf. Nobilitiert war das Ganze durch zahlreiche Reit- und Schießpreise, die der selige Alte bei den verschiedentlichen kameradschaftlichen Veranstaltungen eines langen Kommißlebens erworben hatte. Die ziegelrote Front des Hauses gegenüber war mit Gebilden verziert, die aussahen, als seien sie dem fertigen Gebäude hintennach von einer Art Architekturen-Bäcker aufgepappt worden: Kränze, Vasen, sogar Karyatiden. Die Beziehungslosigkeit von alledem – ich hätte übrigens fast vergessen zu erwähnen, daß es ein nie geöffnetes Klavier gab, auf welchem in geschmackvoller Weise etliche Musikalben angeordnet waren – die Beziehungslosigkeit von alledem zu seinem eigenen Leben mußte für Schlaggenberg wohl augenfällig sein (er hat es auch oft gesagt) und mitunter trat er, inmitten von Gesprächen, die nur einen einzigen Sinn, Zweck und Hintergrund haben konnten, geradezu verzweifelt ans Fenster und sah auf die Architekturen hinüber, welche aber gänzlich ungerührt und mitleidslos in ihrer Scheußlichkeit verharrten, als gehöre sich das eben so.

In diesem schönen Raume also spielte sich die Entscheidung und Entspannung zwischen Laura und Kajetan ab, und man kann wohl sagen, in einigermaßen lächerlicher, wenn nicht grotesker Form. Er war eben, in unruhiger Qual an den Wänden entlang um das Zimmer gehend, vor dem Hausheiligtume stehengeblieben – Photobildnis eines österreichischen Erzherzogs mit eigenhändiger Widmung für den Generalmajor – und starrte den Herrn da mit der hohen schwarzen Offizierskappe an, der sich auf ein kleines Tischchen stützte, dabei aber nur einen Fingerknöchel aufsetzend. Laura hatte auf einem der roten Plüschfauteuils ‚Platz genommen', die zu viert um den schwarzen Salontisch herumstanden und so aussahen, als ödeten sie einander ohne Gäste und leer mindestens schon ebenso an, als etwa vier Personen aus dem Bekanntenkreise des Hauses, würden sie darauf sitzen, sich gegenseitig anöden könnten. Laura hatte ‚Platz genommen' und stellte irgendeine ihrer Fragen („was hören Sie von daheim?"), wenngleich es fünf Minuten vorher hierorts in einem verdammt anderen Stile hergegangen war, zwischen diesem ‚kosenden' Paare.

Auf ihre Frage antwortete er plötzlich, sich herumdrehend, und Laura, wie er das immer tat, duzend:

„Ich gebe dir drei Tage Zeit. Bis Donnerstagnachmittag. Dann wirst du dich entschieden haben, ob du bis zum Lebensende auf deinen vertrockneten Vorurteilen hocken bleiben willst. Donnerstag nachmittag komme ich her und hole mir deine Antwort. Hast du mich verstanden?"

Unglaublicherweise sagte sie:

„Ja. Ich werde mich bis Donnerstag entschließen".

Sie saß jetzt aufrecht und sah starr vor sich hin, auf die Schachbrett-Zeichnung, welche in der Mitte des Tisches eingelassen war. Schlaggenberg beobachtete sie scharf und bemerkte, daß ihre sehr schmalen und langen feingliedrigen Hände, die scheinbar ruhend in ihrem Schoße lagen, mit winzigen kleinen Zuckungen gegeneinander rangen. Sein Blick glitt rasch über ihre Schultern, ihre hohe dralle Brust und ihren übrigen Körper, und jetzt erschien ihm alles ganz unwahrscheinlich und er fühlte dunkel, hier irgend eine Grenze überschritten zu haben, jenseits deren diese ganze Geschichte seinen Händen entgleiten mußte, seiner Macht entzogen war, und dereinst vielleicht noch über ihn Macht gewinnen würde. Er ging sofort weg.

Am Donnerstag, an derselben Stelle und in fast der gleichen Haltung sitzend, antwortete sie auf seine Frage:

„Ja."

Sie hob den Blick. Ihre sehr großen grauen Augen waren ganz geöffnet. Er fühlte plötzlich in unheimlichem Grade das Übermaß von Eigensinn und Dummheit, das aus diesen großen Augen sprach.

Sie vereinbarten den nächsten Montag Abend. Da sollte er sie auf der Straße treffen und sie zu sich in seine Behausung hinaufbringen. Sie würde, so sagte sie, „es nie wagen, allein hinaufzukommen". Kein Mensch dürfe ihr im Vorzimmer der Wohnung begegnen! (Kajetan wohnte natürlich in Untermiete). Er hatte sie schon hundertmal in diesen und ähnlichen Punkten beruhigt, und tat es jetzt wieder. In Wahrheit konnte er das getrost, denn seine damalige Hausfrau war eine arme alte Person, die auf seine zu jenen Zeiten stets pünktlich entrichtete Miete ganz angewiesen war, ihm sozusagen auf den Pfiff folgte, und ihn als den „Herrn Doktor" überhaupt wie ein höheres Wesen verehrte.

Wie über so vieles, hat Kajetan später auch über diesen Montagabend und alles Folgende bei mir ein volles und ins einzelne gehende Geständnis abgelegt.

Er fand sie schon vor, als er zum Stelldichein kam, welches die beiden in einer kleinen Parkanlage vereinbart hatten, die jetzt winterlich kahl und öde lag. Er tat ein paar Schritte zwischen den Sträuchern und da sah er schon Laura ins Licht einer Gaslaterne treten. Sie war dunkel gekleidet und tief verschleiert. Das machte ihm einen lächerlichen Eindruck. Aber die Möglichkeit, jetzt und hier so zu empfinden, diese Möglichkeit war für ihn lediglich durch einen telephonischen Anruf Camy Schediks geschaffen worden, der am Nachmittage eingetroffen war. Dieser Anruf hatte die von Kajetan in den letzten Tagen immer mehr ersehnte Versöhnung und Verzeihung gebracht. Er sollte Camy übrigens noch heute, am späten Abend, in einem Café treffen. Es scheint diese Verabredung von seiner Seite fast unbegreiflich, angesichts dessen, daß er doch bei Laura nunmehr am Ziel seiner Wünsche angelangt war. Und dennoch, er hatte Camy sogleich zugesagt, sie heute noch zu sehen, in einer Art Panik und Angst, sie könnte sich etwa wiederum von ihm zurückziehen und er würde vielleicht den günstigen Augenblick und die zärtlichere Stimmung bei ihr (aus welcher heraus sie ihn doch, wie es schien, angerufen hatte) versäumen.

Kajetan fand also Lauras Aufzug in irgend einer Weise lächerlich oder geschmacklos. Er hatte sich selbst sozusagen einen Riegel vorgeschoben und sich gesichert, war zuinnerst inzwischen ganz und gar zu Camy zurückgeschwenkt und empfand diese dunkle Gestalt da eigentlich als lästige Mahnung: nämlich jetzt aus einer Verirrung – tatsächlich war er fähig, die Sache mit Laura nunmehr als Verirrung zu empfinden – weitgehende Folgerungen ziehen zu müssen. Am liebsten hätte er sich, da die Leidenschaft für Camy wieder voll aufflammte, um Laura überhaupt nicht mehr bekümmert, und er hätte sie auch (bis auf weiteres) sicherlich ganz vergessen.

Jedoch, es wurde ihm nicht so leicht gemacht. – Er küßte ihre Hand, sagte „es ist sehr lieb von dir, daß du auch wirklich gekommen bist“ und dann weiter „aber hör’ mich einmal an, Laura, ich habe heute die ganze

Nacht über das alles nachgedacht, und ich bin zu der Ansicht gekommen ..."

Ja, zu welcher Ansicht war er denn gekommen? Schlaggenberg gestand mir, ihm hätte vor sich selber gegraust, als er nun geläufig seine neue, angeblich über Nacht errungene „Erkenntnis" ihr darlegte, er wäre voll Staunens über sich selbst gewesen, wie ihm jetzt die Einwände nur so zuströmten, wie ihm zur Not noch eine Rechtfertigung seines reichlich absurden nunmehrigen Verhaltens gelang ... Er sagte unter anderem, daß es nur gegolten hätte, sie, Laura, zu erwecken, „den Strom, der ins Meer des Lebens hinausträgt" in ihr zum Fließen zu bringen. Nichts habe er von ihr gewollt, als daß sie eben zu jenem entscheidenden Entschlusse gelange, kraft dessen sie nun hier vor ihm stehe. Alles weitere werde sich jetzt bei ihr geheimnisvoll und zur rechten Zeit finden. Er wolle es ihr nun offenbaren: nicht um seiner selbst willen habe er sich um sie bemüht, nicht aus selbstsüchtiger Begierde. Sondern aus reiner Freundschaft. Und das dürfe er gerade jetzt nicht verleugnen und nun hintennach Früchte ernten, die keineswegs den Beweggrund seines Handelns ausgemacht hätten (als er diesen Bockmist redete, zuckte Laura zusammen).

So standen sie da, und er hielt seine Rede-Übungen, im Schein einer Gaslaterne.

Als er das erste Mal mit dem Sprechen aussetzte, schlug sie den dunklen Schleier zurück, trat ganz nahe an ihn heran und sah mit ihren großen, leeren grauen Augen starr in die seinen („diese Augen schrien geradezu" erzählte Schlaggenberg später). Sie sagte nur zwei Worte:

„Nimm mich".

Ihn packte ein Gefühl, das der Verzweiflung schon

entfernt verwandt war. Er nahm ihre zusammengefügten Hände in die seinen. Lauras Hände wanden sich wie in Schmerzen. Er sprach weiter. Er holte Atem.

„Bitte, nimm mich!“ flüsterte sie.

Er sagte mir, das hätte nun gute zwei Stunden so gedauert. Seine Füße seien kalt gewesen, sein Kopf verödet vom vielen lügenhaften Sprechen, sein Magen leer. Sie verließen die Parkanlage, gingen durch dunkle stille Gassen, blieben unter den schon geschlossenen Haustoren stehen. Er kam späterhin nicht mehr zu dauerndem Reden. „Laura, sei gut, mein Liebling, begreife mich doch, es ist ja zu deinem Wohle ...“

„Bitte nimm mich“ hauchte sie.

Er empfand seine Lage vergleichsweise schon wie die eines Brandstifters, der sich in das bereits entzündete Gebäude irrtümlich selbst eingeschlossen hat, und nun hinter einer zugefallenen und eingeschnappten Türe steht und nahe daran ist, um Hilfe zu brüllen. Er war seinerseits nahe daran, brutal zu werden. Er wurde es nicht (sonst läge hier wohl ein Fall vor, der die Ausschaltung der Prügelstrafe aus dem Gesetz als bedauerlichen Fehler erscheinen ließe). Er nahm sich sogar allmählich immer besser zusammen.

Und auf diese Weise entschlüpfte er ihr endlich.

Es gelang ihm jedoch nur, sich vorläufig und für diesmal zu entziehen. Er hatte versprechen müssen – dreimal, zehnmal, zwanzigmal – sie am nächsten Tage zu besuchen, um eine neue Verabredung mit ihr zu treffen.

Eine halbe Stunde später landete Schlaggenberg bei Camy. Er gestand ihr alles. Sie äußerte, freisinnig wie sie war, daß er dem Mädchen „den Gefallen schon hätte tun müssen“, aber er konnte sehen, daß sie bei seiner Erzählung litt. Diese Nacht verbrachten sie zusammen.

Es war eine der glücklichsten Nächte, deren sich die beiden entsinnen konnten.

Aber das schöne Ende bei alledem blieb nicht aus. Als Kajetan seine ersehnte Camy glücklich wieder hatte, und hier alles ins Geleise gekommen war, stieg doch das Bild Lauras allmählich wieder in ihm empor, und, was er versäumt zu haben glaubte, bewohnte bald, immerzu wachsend, seine Vorstellungen, quoll zwischen den gewöhnlichsten Gedanken und Vorgängen des Alltagslebens hervor und war schließlich ein ständiger Druck von Wünschen, dem er nur mit Mühe und von äußeren Umständen gestützt (seine freie Zeit war ja nun wieder durch Camy besetzt) von einem Tag auf den andern entrann.

Drei Wochen nach jenem entsetzlichen Abende in der Parkanlage führte er Laura in seine Wohnung hinauf. Sie war wieder tief verschleiert. Diesmal reizte ihn das sehr.

Und zwei Stunden später stand er („diese grauenvolle Öde bleibt mir unvergeßlich!") in seinem Zimmer, gegen den weißen Kachelofen gelehnt, ermattet und völlig enttäuscht, und hatte nur den einen und einzigen Wunsch, allein zu sein. Er stand hier und rührte sich nicht und wurde sehr müde, aber er wagte es nicht, zum Bett hinüberzugehen, lediglich aus Angst vor Lauras Zärtlichkeiten und Gefühlsausbrüchen. Seine Abneigung gegen Laura griff in diesen Minuten beherrschend auch aufs Körperliche hinüber, und wenn sich früher, angesichts ihrer hanebüchenen Person, nur Herz und Hirn zur Wehr gesetzt hatten, so sträubte sich jetzt die ganze Haut, in der er steckte. Alles war ihm zuwider, der Geruch ihres Mundes und die Art ihres unaufhörlichen Küssens.

Diese Beziehung, unter den erniedrigendsten Umständen für Laura zustande gekommen, blieb auch weiterhin im selben Zeichen. Man mag Schlaggenbergs Zusammenbruch nach der ersten Vereinigung der Überspannung seiner Wünsche zuschreiben – und tatsächlich nahm diese Seite des Verhältnisses zu Laura späterhin ganz befriedigende Formen an – ihm erschien gleichwohl sein Erlebnis als eine schreckliche und deutliche Warnung vor jener Selbstherrschaft der Begierde, die sogar über tiefsitzende persönliche Geringschätzung und Abneigung hinweggeht. Womit nicht gesagt ist, daß er einer solchen Warnung nicht bald und gründlich vergessen hätte.

SIEBEN VARIATIONEN
ÜBER EIN THEMA
VON JOHANN PETER HEBEL (1760–1826)

1926

Thema

Als einmal der Hausfreund mit dem Doktor von Brassenheim an dem Kirchhof vorbeiging, deutete der Doktor auf ein frisches Grab und sagte: „Selbiger ist mir auch entwischt. *Den* haben seine Kameraden geliefert."

Im Wirtshaus, wo die Schreiber beisammensaßen bei einem lebhaften Disputat, schlug einer von ihnen auf den Tisch „Und es gibt doch keine!" sagte er – nämlich keine Gespenster und Erscheinungen. – „Und ein altes Weib", fuhr er fort, „ist der, der sich erschrecken läßt." Da nahm ihn ein andrer beim Wort und sagte: „Buchhalter, vermiß Dich nicht, gilt's sechs Flaschen Burgunderwein, ich vergellstere Dich (ich mach Dich gruseln), und sag Dir's noch vorher." Der Buchhalter schlug ein. „Es gilt."

Jetzt ging der andre Schreiber zum Wundarzt. „Herr Land-Chirurgus, wenn Ihr einmal einen Leichnam zum Verschneiden bekommt, von dem Ihr mir einen Vorderarm aus dem Ellbogengelenk lösen könntet, so sagt mir's." Nach einiger Zeit kam der Chirurgus: „Wir haben einen toten Selbstmörder bekommen, einen Siebmacher. Der Müller hat ihn aufgefangen am Rechen", und brachte dem Schreiber den Vorderarm. „Gibt's noch keine Erscheinungen, Buchhalter?" – „Nein, es gibt noch keine." Jetzt schlich der Schreiber heimlich in des Buchhalters Schlafkammer und legte sich unter das Bett, und als sich der Buchhalter gelegt hatte und eingeschlafen war, fuhr er ihm mit seiner eigenen warmen Hand über das Gesicht. Der Buchhalter fuhr auf und sagte, da er wirklich ein besonnener und herzhafter Mann war: „Was sind das für Possen? Meinst Du, ich merke nicht, daß Du die Wette gewinnen willst?" Der Schreiber war mausstill. Als der Buchhalter wieder eingeschlafen war, fuhr er ihm noch einmal über das Gesicht. Der Buchhalter sagte: „Jetzt laß es genug sein, oder wenn ich Dich erwische, so schau zu, wie es Dir geht." Zum drittenmal fuhr ihm der Schreiber langsam über das Gesicht, und als er schnell nach ihm haschte, und als er sagen wollte: „Hab ich Dich", blieb ihm eine kalte, tote Hand und ein abgelöster Armstümmel in den Händen, und der kalte, tötende Schrecken fuhr ihm tief in das Herz und in das Leben hinein. Als er sich wieder erholt hatte, sagte er mit schwacher Stimme: „Ihr habt, Gott sei es geklagt, die Wette gewonnen." Der Schreiber lachte und sagte: „Am Sonntag trinken wir den Burgunder." Aber der Buchhalter erwiderte: „Ich trink ihn nimmer mit." Kurz, den anderen Morgen hatte er ein Fieber, und den siebenten Morgen war er eine Leiche. „Gestern Früh", sagte der Doktor zum Hausfreund, „hat man ihn auf den Kirchhof getragen; unter selbigem Grab liegt er, das ich Euch gezeigt habe."

(Erzählungen des Rheinischen Hausfreundes, Jahrgang 1814, ‚Tod vor Schrecken'.)

Variation I

Wirtshausgespräch: Gibt es Geister, Gespenster?! – „Ach was, das sind Geschichten für alte Weiber, jeder ein altes Weib, der sich erschrecken läßt –." Plötzlich wird einer, der still dagesessen ist, mit einem Einfall beschenkt, mit einem Einfall, daß ihm fast zu eng damit wird! Prächtig! Na, warte! – „Wetten wir, Kollege, ich mach Dich gruseln bis auf die Knochen – heute nacht – trotzdem ich's Dir jetzt vorher *sage?!*" Die Wette wird abgeschlossen, um Wein. Er ging nun und verschaffte sich gleich durch seinen Freund, den Amtsarzt, einen Unterarm von der Leiche eines kurz vorher am Wehr aufgefangenen Selbstmörders, der seziert worden war. – Nun rasch durch das sommerlich offene Fenster in die Stube des Kollegen eingestiegen und unters Bett, hocherfreut –! Das Warten wird lang, ja endlos; bequem ist das auch nicht. Wenn es das Schlafzimmer einer schönen Frau wäre – wär' besser, die Aussichten wären sozusagen lieblicher ... Da! Die Treppe knarrt. Also! – er macht sich klein unter dem Bett. Jetzt Licht, langes Räuspern – ehemm – nun – Na, wirf mir nur keinen Stiefel an den Kopf, Verehrtester! Dunkel. Tastende Schritte durchs Zimmer. Krach – das Bett. – Aha – der sägt schon. Nur leise... Jetzt schiebt er sich unter dem Bett heraus, in der Linken hält er seinen Armstummel bereit, mit der Rechten langt er vor, trifft richtig das Gesicht, fährt rasch drüber, noch dazu von unten hinauf gegen die Nase ... und duckt sich. Ein kleiner Ruck. „Dummkopf, auf *diese* Art wirst Du die Wette nicht gewinnen!" – Bravo, nicht übel, ganz brav, recht tapfer! Noch einmal. Nun, fluche nur! Jetzt zum drittenmal. – „Na warte!" tönt es kräftig aus dem Bett – Knüppel – will sagen Stummel! – aus dem Sack – Selbstmörder vor! – ha! – er hat ihn schon. Stille. – „Nun, wie ist Dir jetzt?" Stille. – Na, das scheint ja kräftig gewirkt zu haben – aber jetzt ist es Zeit.

Und als er Licht macht, und als er eben den vollen Erfolg einstreichen will, und als er eben sagen will „Ja, ja, man soll sich nicht vermessen –" Da sieht er in den Kissen ein blutloses Gesicht, aus dem zwei verdrehte Augen ihn anstarren, daß ihn nun selbst das Grauen anpackt: denn der da im Bett hat den Armstummel nicht losgelassen, sondern hält ihn noch immer im furchtbaren Krampf, und das blasse Fleisch mit dem roten Ende, wo der Arm einmal im Gelenk gesessen war, das starrt aufrecht aus den Kissen hervor...

Ein paar Tage später starb der Geschreckte.

Variation II

Wirtshausgespräch: Gibt es Geister, Gespenster?! – „Ach, was, das sind Geschichten für alte Weiber, jeder ein altes Weib, der sich erschrecken läßt –." „Wetten wir, Kollege, ich mach Dich gruseln bis auf die Knochen – heute nacht – trotzdem ich's Dir jetzt vorher sage?!" Die Wette wird abgeschlossen um Wein; der sie angeboten hat, geht nicht lange danach. Nun, der andere bleibt sitzen mit den Kameraden, lange und länger, man trinkt und raucht und gerät im Gespräch längst ganz anderswo hin und weiß Gott wo hinaus –. Also kommt er spät heim und ist schwer schläfrig, und legt sich. Nach einer Weile – schon lösen sich letzte Bilder und Gedanken im Einschlafen auf und fallen durcheinander – gibt es einen Ruck, etwas Warmes ist von unten gegen seine Nase gefahren – ah, bravo! ja richtig, da möchte wohl einer auf sehr billige und harmlose Weise eine Wette gewinnen und zu ein paar Flaschen Wein kommen! Nein, nein, das ist nichts, du Vogel, das müßtest du feiner anfangen – und würde dir doch nichts nützen. „Dummkopf, auf diese Art wirst du die Wette nicht gewinnen!" Der rührt sich nicht, glaubt wohl, er kann's noch irgendwie retten ... Des Teufels! na, jetzt wird's mir aber zu bunt – Da! „Na warte–!" er greift rasch zu, und als er schon daran denkt, wie man den morgen auslachen wird, da entsteht plötzlich ein aufgerissener Hohlraum unter ihm, in den er hinabstürzt, das ganze finstere Zimmer ruckt ein paar Meter tief hinunter, er fällt, fällt und hält die tote kalte Hand umkrampft, saust mit ihr hinab in die Finsternis, während über ihm noch ein paar letzte entfliehende Lichtpunkte ohne Gnade im Dunkel ersticken müssen... Da wird es Licht im Zimmer, aber wie dünn und schwach ist dieses Licht gegen die Finsternis, die dick wie Teer war... Da ist jemand – beugt sich über ihn – reißt ihm etwas aus der Hand – „Du! was ist dir! Das war ja nur ein Scherz! – Schau, ich hab mir da den Unterarm von einem Sezierten beim Doktor ausgeliehen, den hab ich dir hingehalten, den hast du erwischt – na, so wach doch auf!!" – Ja, sein Zimmer und der Kollege da – das versteht er ja nun alles ganz gut. Und als er eben sich zusammennehmen will und sich auch fast schämt so hereingefallen zu sein und als er eben wieder vertraut wird mit den Dingen um ihn herum – – da fühlt er so eine tiefe Schwäche und die kann er nicht greifen, wenn er sich gleich vorhält, daß alles Scherz und Täuschung war – „Bitte um ein Glas Wasser – dort, der Krug", sagt er, um seine Schwäche zu verbergen, um irgendwas zu sagen. Das Licht im Zimmer scheint ihm ganz matt. Er muß sich in die Kissen zurücklegen. Da kommt die Finsternis wieder. Das ist doch Unsinn! Unsinn! Das Wort schwimmt ganz oben, als entfliehender Lichtpunkt, als Pünktchen, das schon im Dunkel erstickt. Er wird wieder wach, er sagt sich vor, so und so – Leere, ausgeronnene Worte, nichts antwortet ihnen aus dem

Leben, dem Herzen: tief hinein ist dort der kalte, tötende Schrecken gefahren, sitzt drinnen, sicher vor der tastenden Vernunft, die wieder Ordnung schaffen möchte in der grundlos verstörten Seele, sie zurückwenden möchte in gewohntes Geleise – sie ist blaß, diese Vernunft, schwach, kraftlos: das Grauen aber, kräftig genährt, hat ein tiefes, zähes Leben – Nein, er kann und kann jenen Punkt nicht erreichen da in sich selbst, den Wendepunkt, der erreicht werden müßte, um lebendig zu werden, die springende Feder – ja, die Angel und Achse, um die jetzt alles herumschwingen, wenden und kippen müßte: vom Grauen in den Scherz, der ja Wirklichkeit ist. Nein, er kommt auf diese Erhöhung nicht mehr hinauf, das ist zu glatt – und schon ganz hart geschlossen: zugefallen die Tür, kein Angriffspunkt mehr, schon vergißt er der Freiheit und Vernunft und wendet sich völlig zurück in das Dunkel.

Ein paar Tage später starb der Geschreckte.

Hinter dem Busch, auf den man geklopft hatte, war statt gewonnener Wette und befriedigter Eitelkeit der Tod in voller Person hervorgetreten.

Variation III

Ein Mann, der einen Obstgarten besitzt, kommt an einem Herbstabend zu einer befreundeten Familie und bringt einen Korb mit Birnen der verschiedensten Arten als Geschenk: stolz auf die Produkte seiner gärtnerischen Sorgfalt, lädt er alle ein, die einzelnen Sorten zu versuchen, diese gelbe da, jene braune dort – scherzhafter Weise war auch eine Frucht von Marzipan dabei, sehr täuschend naturwahr. Man probiert, man beredet die

Unterschiede – „Aber diese kleine da müssen Sie noch versuchen!“ sagt der Freund zur Hausfrau „das sind die besten, wenn sie auch unscheinbarer aussehen – nicht anschneiden, sie sind sehr übersaftig, da muß man herzhaft hineinbeißen –“ (und reicht ihr die eine von Marzipan). Die liebenswürdige Hausfrau legt das Obstmesser weg und als sie eben recht lustig in die Frucht hineinbeißt und schon den rinnenden Saft erwartet und das Kinn ein wenig vorstreckt über den Teller, und als sie schon mit den Augen dem Freund ihr Erstaunen zeigen will und ihre Anerkennung für dieses gelungene Produkt – da kommen ihre Zähne in den trockenen, mehligen, süßen Marzipan, es bleibt ihr der vorige Ausdruck noch in den Zügen stehen, darunter aber ist es wie ein Hohlraum, jetzt bricht diese zwecklos gewordene Maske entzwei wie eine Eisdecke, unter der das Wasser gesunken ist, sie findet in den Scherz hinein und auch in ihren eigenen neuen Gesichtsausdruck – und sie lacht: alle rundum lachen jetzt auch, aber noch ohne zu wissen, was es ist; denn das Mienenspiel allein reizte schon dazu.

Variation IV

Er war Versicherungsbeamter in Wien, wohnte mit seiner Schwester, einer jungen hübschen Person, die auch irgendwo eine Stellung hatte (ich kannte beide gut) – es war ein sehr reizendes Heim, in einer Gegend, in die man ansonst selten kommt, weit draußen, in einer Straße mit einem hellklingenden Namen, ein oder zwei ‚a‘ waren dabei. Sie hatten immer eine sehr behagliche Teestunde abends, im Winter, man konnte zu ihnen kommen –

Einmal verspätete er sich etwas auf dem Heimweg vom Büro, machte überdies einen Umweg, sah etwas an bei einem Antiquitätenhändler: sie hatten's immer mit Verschönerungen oder Veränderungen in ihrer Wohnung und hier handelte es sich um ein gewisses altes Kästchen, schon seit einiger Zeit. An diesem Abend entschloß er sich zum Kauf, machte eine Angabe; er hatte eine unerwartete Zahlung erhalten, gerade an diesem Tage. – Der Abend war etwas rauchig, neblig. – Nun kommt er in seine Gasse, biegt ein, steigt die Stiegen, und als er eben auf seine Wohnungstüre zuschreiten wollte, und als er eben dachte, ob seine Schwester wohl schon daheim sei, und was sie dazu sagen würde, daß er nun das Kästchen doch endlich gekauft habe – da öffnet sich die Türe langsam und sie tritt heraus, im Hut und Mantel, und bleibt am Türpfosten angelehnt stehen und sieht ihn an. Ihre Unterlippe hängt herab, auch das Kinn, die Augen sind leer und müde. Sie hebt den Arm und zeigt hinein und läßt den Arm wieder schlaff herabfallen, so daß er an die Hüften schlägt. Er geht hinein, alles ist hell.

Die Wohnung ist leer; und zwar ganz und gar. Er eilt, plötzlich beschleunigt, durch alle Räume.

Die Wohnung ist leer; nicht einmal das Salzfaß in der Küche hängt an der Wand. Kein Vorhang, kein Bild, selbst die Haken sind aus der Wand genommen; kein Tisch, kein Stuhl (ihm fällt auf, wie groß diese Räume eigentlich sind), alles fort, alles weg: Wände, Fußboden, Decke, platt, kahl; in der Mitte hängt am Draht die elektrische Birne, die ist noch da, aber der Schirm ist auch verschwunden – Nun, er eilt zurück, fragt: sie weiß eben so wenig wie er: sie ist vor zwei Minuten erst nach Hause gekommen, knapp vor ihm. –

Er fühlt: daß man sich jetzt eben auf dieses alles da einlassen müsse, es als Tatsache anerkennen müsse – müsse?! Doch! – In ihm ist gleichsam ein Hohlraum entstanden, in welchen die Trümmer seiner früheren Stimmung und Haltung (als er so die Stiegen heraufgekommen war und an die Schwester gedacht hatte) hineinpoltern, wie ein eingestürztes Gewölbe in den Raum darunter – das bleibt so und wird noch ängstlicher und ganz unwahrscheinlich, als man vom Hausbesorger hört: ja, ja, ein Möbelwagen, zwei Uhr nachmittags; er habe sich selbst ein wenig gewundert über ihren plötzlichen Auszug, aber der Wagen und die Leute seien ja doch von ihnen bestellt gewesen, Firma so und so – freilich telephonierten Bruder und Schwester sogleich, freilich wußte man bei der genannten Firma rein von gar nichts. –

Also Diebstahl mit unerhörter Keckheit –!

Im Hause ging jetzt bald der Lärm los, man trat auf die Stiegenabsätze heraus, fragte, rief, redete. –

Nun, sie hatten ja zu leben, die zwei, sie gingen einmal vorerst ins nächste Hotel.

Aber auf der Straße, da griff es ihn an (der Abend war rauchig und neblig) – welche Hände wirtschaften da in unserem Leben? Ihm schien die Sache gar nicht mehr ganz für sich allein dazustehen, es erfüllte ihn jetzt eine ganz allgemeine Empörung, als wäre dieser Fall wirklich ein allgemeiner Fall, als würden allen Menschen von Zeit zu Zeit in solcher Weise die Wohnungen ausgeräumt, von unsichtbaren Händen – was doch unsinnig war und nicht zutraf! ‚Welche Hände wirtschaften da in unserem Leben, aus welchem Dunkel kommen solche Hände . . . ?' So ging er neben der Schwester und sah in die Hauchwolken von ihrer beiden Atem, die sich vor ihnen mischten. – Man hatte ihn überdies zum Narren gehabt! Man hatte ihn ein Kästchen kaufen lassen, lächerlicherweise... Was sollte er sagen um sie zu trösten, die neben ihm schwieg und sich härmte?! Da hätte er nun beinahe gesagt: ich habe so etwas schon immer geahnt und vorausgesehen in der letzten Zeit – aber dies war doch reiner Unsinn, und er konnte dies doch unmöglich sagen. –

Es konnten übrigens, trotz aller Bemühungen der Polizei, die Täter niemals ermittelt werden.

Variation V

Jedweder kleinste Hergang, wenn man ihn betrachtet, wird befremdlich und steht in neuem Licht, hält man seine Einmaligkeit sich vor Augen – daß nichts wiederkommt, diese Bedeutung kann auch das Bedeutungsloseste für sich in Anspruch nehmen, ebenso wie dies dem wirklich bedeutenden Vorgang erst seinen schmerzhaft-dunklen Hintergrund ganz verleiht – aber dies führt schon zu weit; gleichwohl, denke: deine Hand auf dem Wirtshaustisch, dort und dort, vor drei Jahren; oder dein Fuß vorgestern, auf dem Waldpfad. –

So also auch hier, im kleinen, wo es nicht gar viel zu berichten geben wird. – Wenn das Frühjahr schon an den Sommer grenzt und die Nächte warm werden, finden in Wien, wie in jeder Großstadt, die Bänke in den verschiedentlichen Gartenanlagen wieder Beachtung – winters waren sie meist verlassen und verleugnet, ja oft mit Schnee gepolstert, ganz ungestört und unberührt – sie finden Beachtung bei verschiedenen Gruppen des Publikums; das sind etwa: die Verliebten im weitesten oder engsten Sinne; die Schlaflosen (verschiedener Herkunft);

die Heimgeher und Debattierer nach Caféhausschluß; die rein Nachdenklichen (kommen selten vor); endlich aber und hauptsächlich: die Unterstandslosen, Herren und Damen ohne Wohnung; bei ihnen würde man es am schwersten aushalten, sie sind dauerhaft; sie dauern zwar oft nur bis zum Erscheinen des nächsten Schutzmannes, oft nur bis zum Steifwerden der Glieder, mitunter aber dauern sie aus bis in den hellen Tag, wenn sie Glück haben etwa. –

Teddy hingegen war ein junger Herr, also einer von denen, deren übliche Problematik so lange besteht, bis ihre Protektion sie untergebracht hat und es höchste Zeit wird, ein standesgemäßes Leben aufzunehmen, was damit beginnt, daß man den Monatsgehalt wirtschaftlich für die Garderobe und sonstige gesellschaftliche Erfordernisse einteilt, im übrigen aber seinen Eltern auf der Tasche sitzen bleibt. Bei Teddy aber, der noch nicht untergebracht war, dauerte also die übliche Problematik noch durchaus an, ja da er (wie es unter seinen Freunden heißt) ein ganz eigenartiger Mensch ist, so könnte es sein, daß sie sogar bis zu seiner hoffentlich dereinst erfolgenden reichen Heirat andauern wird – also ein immerhin nicht ganz unbedenklicher Fall, von dem wir schon was erwarten dürfen.

Mit Rosa anderseits verhielt es sich so: sie war als Köchin aus dem Dienst gegangen, gegen Abend, und sollte die neue Stelle am nächsten Vormittag erst antreten; ihre bisherige Herrschaft aber, auf sofortigen Ersatz bedacht, gab ihr kaum mehr die Möglichkeit zu übernachten, die Nachfolgerin stand sozusagen schon unter der Tür und es schien, daß diese nicht gerne das Zimmer noch mit ihr teilen würde, sei es auch nur für eine Nacht. Rosa war ein wenig stolz, ihr Austritt war auch ein keineswegs unrühmlicher gewesen – Rosa handelte jetzt voreilig; sie nahm ihre Sachen und ging – wandte sich aber nicht etwa an ihre neue Herrschaft. Als es dunkel wurde, kam ihr dagegen der Gedanke, sie könne doch ganz gut den Betrag für ein Nachtlager ersparen. – So saß sie jetzt auf einer Bank an der Ringstraße, eine schlanke Gestalt im Herbstmantel: die Reisetasche hatte sie neben sich gestellt. – Ja, so war es und so ging es einem Menschen vom Lande ohne Verwandte in der Stadt! ihr wurde ein wenig trübsälig zumute, zudem war sie recht scheu, daß man sie etwa anhalten würde oder sonst irgend ein Anstand – die Zeit war lang, sie überlegte und kam dahinter, daß dies hier unüberlegt gewesen war. Hingegen jetzt, um 11 Uhr, konnte sie doch nirgends mehr Einlaß verlangen, in einem Hotel etwa, wie würde das aussehen (so meinte sie). Sie blieb also sitzen. –

Die Ringstraße – dunkle Baumreihen, in der Mitte platzt das Bogenlicht aufs Pflaster. Nah und fern sich verschiebende Lichtpunkte, Hupenton, heran und vorbei. Meist leere, dunkle Breite, am Rande legt ein Café eine Lichtreihe aus. – Immer in den Sommernächten erwarten junge Menschen irgend was, wenn sie durch die nächtliche Stadt gehen, sie erwarten nicht gerade etwas Bestimmtes, je nachdem – die Nacht ist Freizeit in jeder Hinsicht, man geht so mit seinen Sorgen, Schmerzen, Gedanken, Bedenken; man läßt sich aber auch gerne ablenken, was immer es sei, man ist geneigt es zu ergreifen –

Also geht Teddy auf die Bank zu, als er unsere Rosa da so im Dunkel sitzen sieht, eine schlanke Gestalt... Wie man eben ein Gespräch anfängt, so auch er (übrigens scheint er hier schon etwas Bestimmteres zu erwarten, wenn auch umrankt von Beiwerk, das man noch bemerken wird) – sie verhält sich ein wenig bockig, „einsilbig“ würde man sagen – aber er bringt ihr doch eine gewisse Wärme und Abwechslung, das muß sie sich gestehen, es ist ihr weniger bange jetzt; er ist sehr freundlich, spricht eine feine werbende Sprache, riecht auch gut, sie merkt das, als er näher rückt. Nach einer Weile hat sie so nach und nach den Tatbestand vorgebracht, der mit ihrem Sitzen hier bei Nacht zusammenhängt, sie hat sich freilich etwas zurückhaltend, fast ein wenig geheimnisvoll ausgedrückt, Teddy frägt auch nicht weiter. – Die Bäume rauschen, Schatten wechseln, im weichen Windstoß fällt dann und wann ein Strahl von der spärlicheren späten Straßenbeleuchtung durch das Laub. Er sieht, daß sie einen recht hübschen Hut trägt, Topfform. – Nun, Teddy wird ganz väterlich, sagt, das sei doch eine Kleinigkeit, er wolle sie gleich unterbringen, in einem netten Hotel, das sei sozusagen beinahe seine Pflicht (er spricht dann von den Gefahren der Großstadt, ein wenig lehrhaft, ganz sachlich, ganz unpersönlich) – nein, sagte er am Ende, es ginge unmöglich an, daß sie hier über Nacht bliebe. – Natürlich will sie nicht, bleibt störrisch, lehnt ab, sagt, sie bliebe schon besser hier – das sagt sie immer wieder. Dann geht sie mit ihm, er trägt ihr sogar die Tasche – ein ganz feiner Mensch, denkt sie. Es zeigt sich, daß sie viel kleiner ist als er. Sie gehen ein Stück, biegen in schmälere Straßen ein, er plaudert jovial, wie ein alter Onkel, legt eine Schicht von Gelassenheit, Harmlosigkeit und Gleichgültigkeit über seine einigermaßen angeregte und gespannte Erwartung: im übrigen hält er sich nach außen ganz wie ein Mensch, der nichts weiter tut und vorhat, als seine menschliche Pflichterfüllung sozusagen, nämlich in einem einzelnen Falle Ordnung zu schaffen, wenn es schon auf der Hand liegt, wenn man das schon so ganz ohne Schwierigkeit vermag. Er wählt ein kleines Hotel, das ihm wohlbekannt ist – „da könne er sich verbürgen, daß sie gut aufgehoben sei, Frühstück würde sie dort auch gut erhalten, morgen."

Sie treten ein, das Zimmer des Torwartes ist hell. Teddy spricht mit dem Manne (der ihn kennt), er ordnet alles, während Rosa etwas weiter rückwärts steht und wartet. – Nun, und als er eben denkt „na also", und als er sich eben herumwendet und ihr den Arm bieten will um sie hinaufzugeleiten, und als er eben so ein bißchen die Erwartung in sich spürt – da blickt er in ein Gesicht, das gewöhnlich, verbraucht und beinahe alt zu nennen ist. – Der Torwart hat nach dem Stubenmädchen geläutet und geht jetzt voraus, die paar Schritte bis zum Lift, dort öffnet er die Gittertüre. – In Teddy ist gleichsam ein Hohlraum entstanden, seine ganze frühere Haltung und Stimmung drohen trümmerweis da hinabzupoltern in diesen Hohlraum von Enttäuschung – er spürt plötzlich Lust mit irgend jemand grob zu werden; aber er sieht, daß seine bisherige Haltung die einzige, wenngleich recht zweifelhafte Brücke ist, die über dies hier hinwegführt. – Er ist vor der Gittertüre zurückgetreten. „Der Herr fährt nicht mit hinauf?" fragt der Torwart. „Nein" sagt Teddy „– ja richtig, die Dame muß ja morgen auch frühstücken!" – und er ordnet das noch rasch; er gibt ihr die Hand, sieht sie kaum an, macht aber knapp vor Schluß noch erfolgreich *Front gegen das Ganze:* und sagt recht breit und gönnerhaft und offenbar wohlgelaunt: „Nun also, jetzt sind Sie ja gut untergebracht – ich wünsche angenehme Ruhe", und er lüftet den Hut. Sie sagt irgend etwas wie „Danke", dann gleitet sie nach oben und er geht. –

Teddy ist glücklich, er hört sich noch sprechen: „Nun also, jetzt sind Sie ja gut untergebracht. –" Er spricht es auf der Straße in anderer Weise weiter: „Arme Person! Na, das mußte man natürlich tun, das war ja beinah Pflicht – hat auf keinen Fall geschadet, übrigens – es wäre merkwürdig genug gewesen, warum denn nicht?!" Da ist er plötzlich stehengeblieben – ja, während er so auf der dunklen Straße steht, geht er eigentlich in Gedanken ein paar Schritte zurück. – Nun, und dann ins nächste Café. –

Der Lift klappt ein oben im Stockwerk, das Mädchen öffnet, Zimmer Nummer so und so. – „Es gibt eben doch noch anständige Leute, solche Leute gibt es eben *doch* noch –" denkt Rosa wiederholt. Das Zimmer ist still, auch nebenan rührt sich nichts, nur auf dem Gang entfernt sich der Schritt des Mädchens. – Sie setzt sich jetzt auf den Bettrand, blickt ein wenig vor sich hin – und dann weint sie plötzlich.

VARIATION VI

Stadt und deren bei Nacht leuchtender Abfall ... Die großen Straßen kommen mit Sprüngen von Bogenlampe zu Bogenlampe heran aus ihrer lichtnebligen Tiefe, kommen heran von verschiedenen Seiten und fallen aus ins Geviert weiter Plätze, dort verlieren sie sich ineinander; hier zucken und wandern noch mehr Lichter. –

Stadt und deren bei Nacht leuchtender Abfall, Fühlhörner von Licht auslegend aus gewärmten, leicht und weich empfangenden Räumen; dies nennt man gemeiniglich – das „Nachtleben". – Dieses Nachtleben ist gesellig, man findet aber auch Einzelgänger und Alleinsitzer darin, junge Leute etwa, die von irgend etwas, vielleicht am späten Abend erst – abgelassen haben, es hingelegt, liegen gelassen, sein gelassen haben – ihre Lernbücher oder ihr Büro oder eine Sorge, einen Brief oder eine Streiterei – vielleicht waren sie schon die letzte halbe Stunde hindurch nicht mehr ganz dabei, bei diesen Dingen, vielleicht sind sie schon während dieser Zeit so in Gedanken rasch in die Ärmel des Wintermantels gefahren, haben den Kragen hochgeschlagen, den Hut in die Stirn gedrückt und in die Tasche nach den Schlüsseln gegriffen.

Dann also auf der dunklen Straße; und irgendwo landet man schließlich, in irgend ein Geleis gerät man schon hinein, wenn man so freigegeben ist, so vor sich hintreibt. – Gleich von Anfang an etwa kann eine Hinneigung aufsteigen zu jenem breiten Wege, innerhalb dessen so viele mögliche matterleuchtete Pfade dahinführen; man befindet sich in überaus zahlreicher Gesellschaft, wenn man diese Richtung einhält, ja so zahlreich ist sie, daß dies beleidigen und zum Verlassen des Weges wieder Anstoß geben kann. – Man verläßt also die winterliche Straße und tritt in einen leicht und weich empfangenden Raum. Hier kann es geschehen, daß der Blick innerhalb einer plätschernden Farben- und Lichtmenge gleichsam auf einen scharfen Vorsprung trifft – es muß nicht viel sein, es kann auch ein Mund genügen, der das Gesicht beim Lächeln nicht mehr verschönt, sondern schon verhäßlicht. Dies kann zur Folge haben, daß derselbe Blick zwischen den vorderen Kulissen dieser kleinen Bühne hindurchgeht, etwas raumgreifender alles umfaßt – mit Anteilnahme sogar für diese Frauen hier, jetzt aber nicht eigentlich für ihre Reize. – Indessen gibt es da einen kriegerischen Gegenstoß, der nicht erlaubt, daß man zu weit gehe! Es ist bekannt und man weiß es recht gut, welch ein Gesindel im Grunde dieses ganze Nachtvolk immer ist, die Weiber samt den Männern, Chansonette wie Zigeunerprimas, lügenhaft, geldgierig, unehrlich, alle diese sogenannten – „Existenzen“ ... Plötzlich sieht man sich selbst in einer wünschbaren Lage, draußen vorbeigehend nämlich (den langsam fallenden Schnee teilend), abgewandt, unbeteiligt, gewissermaßen unabhängig; es würde nur einen kleinen Ruck kosten, um eine solche Lage auch wirklich einzunehmen – aber zu diesem Ende ist man ja nicht ausgegangen heute abend – oder etwa doch?!

Jedenfalls verließ der junge Herr Milan sehr bald den Raum, bekam seinen Mantel in der Garderobe, und nun stand er auf der Straße: letzte Flocken setzten sich ihm langsam auf Arme und Schultern, es hatte zu schneien aufgehört. Er ging also da draußen vorbei und durchkreuzte die Fühlhörner von Licht, die aus dem eben verlassenen Raum sich über die Straße legten – gar nicht viel fehlte zu einer wünschbaren Lage. Nun bog er um eine Ecke und schritt rasch vorüber an einigen Frauen, die aus dem Halbdunkel vortraten, und er gab ihnen durch das rasche Vorbeigehen bekannt, daß sie ihn falsch eingeschätzt hatten. Nach einer Stunde befand sich Milan noch immer auf der Straße; er war zum zweiten oder dritten Male – mit offenkundig zielstrebigen, eiligen Schritten – den gleichen Weg gegangen, und sodann plötzlich in einen Kaffeeschank eingetreten, als hätte er gerade dieses Lokal jetzt schnell erreichen müssen – er traf übrigens niemand von seinen Bekannten hier, die er vorzufinden gehofft hatte; diese Vorstellung hatte eben jetzt noch seinem raschen Gehen eine Art von Berechtigung geliehen... Nach einer weiteren halben

Stunde aber war es für ihn selbst wohl schon ganz offenkundig, daß er – suchte, und somit auf einem breiten Wege sich befand, innerhalb dessen sehr viele mögliche matterleuchtete Pfade dahinführen, Gänge und Verzweigungen in diesem Bergwerk der Wollust, in das sich die Stadt nachts verwandelt. Die zahlreiche Gesellschaft anderer Bergleute in den breiteren oder engeren Stollen störte ihn fast nicht mehr. – Da und dort gab es wohl ein Profil von Gesicht oder Gestalt, das anzog – dennoch befand sich Milan auch nach Ablauf einer weiteren ganzen Stunde noch immer auf der Straße, und er begann bereits müde zu werden.

Da sprachen ihn zwei Mädchen an: es sei schon so spät, daher wollten sie weniger fordern und beide mit ihm gehen. Sie gefielen ihm eigentlich nicht. Andere, frühere von heut Abend, hatten ihm wirklich gefallen. Er sagte, er hätte gerade so viel Geld noch bei sich, als sie verlangten und sonst nur noch das für die Unterkunft nötige – damit müßten sie sich abfinden, mehr sei bei ihm heute nicht zu holen, und wenn ihnen dies so recht sei, dann – Also gingen die drei miteinander. Es begann damit, daß der Torwart in dem kleinen Hotel weit mehr für ein Zimmer rechnete, als die Mädchen vorausgesagt hatten. Man stieg nun nach oben, es war ein ziemlich großer Raum, mit Ehebetten, geheizt schien hier nicht zu sein. Die Mädchen prahlten damit, was sie miteinander für Künste auszuführen verständen, nahmen vorerst das Geld, baten um mehr, wurden von Milan an die Abmachung erinnert und erhielten dann noch etwas, er wollte sie ja bei guter Laune haben. Wenn ihm eine von den beiden einigermaßen gefiel, dann war es die kleinere; sie saß neben ihm auf dem Bettrand, während ihre Kameradin sich bereits zu entkleiden begann. Nun, und als er eben so im Zusehen an alles dachte, was die Mädchen versprochen hatten, und als er eben seiner Nachbarin auf dem Bettrand den Arm um die Mitte legen und sie an sich ziehen und auffordern wollte, es ihrer Genossin gleich nachzutun, und als er schon den runden Körper des Mädchens durch die Kleidung fühlte (warum saß sie so still neben ihm und tat nichts dergleichen!?), und als er ihr schon das Kleid aufknöpfen wollte – da traf sein Blick auf etwas – es war nicht viel, nur eine Kleinigkeit – daran das Auge hängen blieb, wie an einem scharfen Vorsprung: Dem Mädchen da neben ihm auf dem Bettrand fehlte an der linken Hand ein Fingerglied – fast gleichzeitig damit bemerkte Milan noch andere Kleinigkeiten: das weiße Nachtkästchen neben dem Bett war von den Zigaretten, die andere Bergleute, vor ihm, hier an den Rand gelegt hatten, an vielen Stellen braun angebrannt – Brandspur neben Brandspur, geradezu gesprenkelt. Er bemerkte übrigens jetzt auch, daß seine Nachbarin eigentlich eine Knollennase hatte – und daß die Hand mit dem fehlenden Fingerglied so überaus ärmlich aussah, rot angelaufen noch von der Kälte draußen. Er winkt jetzt dem anderen Mädchen noch zu warten, löst sich von seiner Nachbarin los (diese gähnt gerade und hält den Handrücken vor den Mund) – und er sagt: „Wißt Ihr was, Kinder, lassen wir's, Ihr seid ja auch müde und es ist spät, wir können ja ein bisserl plaudern und dann gehn wir wieder –" „Schau, das ist ein guter Bursch!" sagt die Kleinere zu ihrer Freundin, und dann zu Milan: „Hast eine Zigarette, Bubi?" Milan hält ihr die Dose hin – sie sieht hinein, bedient sich aber nicht, sondern langt nach ihrem Täschchen und zieht eine bessere Marke hervor, als Milan im Etui hat. – „Ja, Kinder", sagt Milan jetzt (in ihm ist gleichsam ein Hohlraum entstanden, in den sämtliche Trümmer seiner zerbrochenen Erwartung hinabgefallen sind) „es ist mir ja nicht so drum – ich war so allein da auf der Straße mit meinen Gedanken, bin froh, daß ich ein bißchen Gesellschaft habe – ich geh ja oft bloß deswegen mit einem Mädchen. Und dann – ihr habt ja auch nichts zu lachen, ein schweres Leben – erzählt einmal von euch, wie geht's euch denn immer" (über den entstandenen Hohlraum gibt es jetzt nur mehr diese eine Brücke, daß man sich nämlich sogleich auf eine andere Ebene und Basis begibt, die sozusagen schon sicherheitshalber vorbereitet ist und immerhin noch ein Postament darstellt, auf dem sich stehen läßt, sogar in recht anständiger Haltung). Er hört nun von den Mädchen allerlei, die üblichen Geschichten, die so im allgemeinen erzählt werden – übrigens auch das mit wirklich echter Wärme vorgebrachte Lob eines Burschen, eines „Bekannten". – „Na, vor dem haben die bei der Polizei scho' mehr Angst als er vor ihna – oh, der kennt nix: zu zehnt sans' ausgerückt damals, zehn Leut auf einen Menschen, so a Feigheit, aber der hat's ihna zeigt! Drei Stich im Bauch – nein; sag ich dir!" sie schneidet der Kameradin das Wort ab „sie haben ihn eben nicht, das weiß ich für g'wiß –!" „Na, wie mir Madeln sekkiert werden von denen – des kannst dr' du garnet ausdenken, hörst' da werd ich dr' gleich a G'schicht erzähln –"

Er hört dann, daß sie draußen in einem Fabriksviertel wohnen und jeden Abend mit einbrechender Dunkelheit in die innere Stadt fahren. – Er streift jetzt wie zum Spaß dem einen Mädchen die Kleider empor (es ist eine Art Nachklang und Wiederkehr bei ihm) – und sieht die Unterwäsche voll Blut. „Du bist ja unwohl!" ruft er „und da gehst du" – (In diesem Augenblick glaubt er wirklich, sein Blick dringe jetzt durch diesen ganzen Vordergrund hindurch und würde raumgreifender!) „Ja, dafür sind wir ja zu zweit!“ sagt die andere, „wir passen da ganz gut zusammen ...“ In Milan gibt es eine Art Auflösung, die ihm sehr wohl tut, er fühlt sich nun erst abgewandt, unbeteiligt, unabhängig. – Er gibt den Mädchen noch Geld; sie kramen ein wenig in seinen Taschen, ziehen die verschiedenen Gegenstände hervor, die er bei sich trägt und betrachten sie. – Dann gehen alle drei zusammen fort, unten trennt sich Milan von den Mädchen. –

Auf der Straße, allein vor sich hingehend: nun also, da wäre sie ja, diese wünschbare Lage, wenn auch etwas teuer erkauft – er hat sich da gewissermaßen losgekauft. Nun, und als er eben seine neue Unabhängigkeit genießen, sein Abgewandt- und Unbeteiligtsein recht ausfühlen will und nun wirklich gleichmütig vorbeigehen will an den Frauen, die da und dort noch aus dem Halbdunkel vortreten, und da er eben einbiegen will, um eine Tasse Kaffee zu nehmen und das Gewonnene gleichsam in Ruhe und Sicherheit zu überdenken – da fehlt ihm plötzlich etwas, er spürt eine leere Stelle an der einen Seite – und stellt fest, daß die eine von den beiden Frauen seinen Füllbleistift, den sie herausgezogen hatte, nicht mehr zurückgesteckt, sondern das Ding (zum Andenken?!) behalten hat, ohne ihn zu fragen allerdings. Es ist eine Kleinigkeit, ein Nichts, wohl; aber es genügt, um jetzt seine ganze neugewonnene Stimmung und Haltung zu unterhöhlen und sie zusammenbrechen zu lassen; er aber landet auf einer Basis, die sicherheitshalber schon vorbereitet ist. .. Daß dieses Pack auch immer stehlen muß! Es gibt förmlich einen kriegerischen Gegenstoß in ihm gegen alles Vorhergehende: ein Gesindel, dieses ganze Nachtvolk! Er war ja doch – betrogen worden jetzt, genaugenommen! Denn erstens war das eine Mädchen gar nicht in der Lage gewesen – und dann, wieviel Geld hatten sie ihm entlockt, gegen die Abmachung! Wieviel? Er rechnete: so und so viel! – er aber rauchte keine so teuren Zigaretten, wie diese –! „Ein blöder Kerl bist Du einfach“ schimpfte er sich selbst. „Ha, um solche kostbaren Erfahrungen zu machen, ja da bezahlt man halt gerne tüchtig dafür, was? Dergleichen ist ja überhaupt ganz unbezahlbar, wie? Das ist ja noch wie geschenkt für dieses lächerliche Sümmchen!“ Er fühlte sich plötzlich wie hilfesuchend vor seinem eigenen Zorn; da nun das Geschehene nicht mehr zu ändern war, so mußte man eben jetzt – er hatte doch vorhin eben noch –! Aber da brach der Hohn wieder los: „Hehe, kostbare Einblicke in das Leben der Großstadt gesammelt, bin leider kein Dichter oder Schriftsteller, daß ich sie verwenden könnte – mein Geld zurück haben, das wäre mir schon lieber –!“ Und als er eben kurz auflachen und mit einem höhnischen Grinsen schief und seitwärts schielen wollte, gleichsam sich selbst eine Fratze zeigend, als er eben so seiner Stimmung und der gefundenen Wahrheit (wie er glaubte) Ausdruck verleihen wollte – da trafen sein höhnischer, beleidigender Blick und sein schiefes Grinsen beide voll in das Gesicht eines jungen Weibes, die mit einem Kopftuch und in einem langen Mantel etwas mühsam an einem Stock daherkam – er vermochte nicht mehr abzubremsen und rasch zurückzuziehen, was sein Gesicht da ausschrie, bemerkte aber im selben Augenblick, daß diese Frau da hochschwanger war, ihr Leib trat unter dem Mantel stark vor. Milan verhielt im Schrecken den Schritt, während auf seinem Gesicht diese sinnlos gewordene höhnische

Fratze erst jetzt langsam entzweibrach, wie eine Eisdecke, unter der das Wasser gesunken ist. – Mit flammender Empörung in den Zügen schlug die junge Frau den Blick dieses Menschen zurück, der da auf ihrer unförmlichen Gestalt lag: sie hob in hilflosem Groll die Faust und drohte damit, während sie sich vorbeischleppte.

„Dies ist die Stunde des Zornes, wahrhaftig" dachte Milan voll Grauen und zugleich geärgert über die lächerlich getragenen Worte, die da in ihm aufstanden. – Aber plötzlich, wahrhaft beglückend, fühlte er einen weiten freien Raum in sich, der alle die Trümmer seiner früheren Haltungen und Stimmungen in dieser verpfuschten Nacht aufnahm und verschwinden ließ und alles versöhnlich ausglich; da landete Milan auf einer Ebene, die gleichsam sicherheitshalber für jeden und hinter allem vorbereitet ist. Er blieb stehen und sah auf, in den stadtfremden dunklen Himmel empor; daraus kamen ihm jetzt einzelne Flocken entgegen, rascher und rascher und mehr und mehr, gerade herabeilend, jetzt sank der Schnee sehr dicht, jeden Laut dämpfend, alle Kanten schwächend, rein und weiß sich überall lagernd: eine abgeschlossene Stille entstand um Milan, der wie träumend weiterschritt, den langsam fallenden Schnee teilend; jetzt aber in der Tat so abgewandt und unbeteiligt, daß er sich der Wünschbarkeit dieser seiner Lage gar nicht mehr bewußt ward.

Variation vii und Coda

Auf der Landstraße, die den Horizont in zwei Halbkreise zerlegt, ein Wanderer: den Kopf gesenkt, die Schultern vorgefallen, der Blick im Staube vor den Füßen, das Gesicht in irgendeinem Mißmut eingeklemmt. – Aber nach längerem Gehen schmerzen doch Rücken, Schultern und Nacken in dieser gleichbleibenden Lage. Nun, und als er sich eben so träge aufrichten und die Schultern zurechtschupfen will, und als er eben so einen müden öden Blick gegen den Himmelsrand zu entlassen will – da scheint ihm plötzlich, als sei das Land ringsum heller, als sei jetzt die Sonne durchgebrochen und mache die Ferne offener, und umgieße die näheren Hügel mit Freundlichkeit: aber es hat sich in Wahrheit durchaus nichts am Himmel und am Sichtbaren ringsum geändert, die grauen Wolkenzüge liegen vor der Sonne ganz wie vorhin. Dennoch, der da geht, das ist ein anderer Wandersmann, das kann wohl nicht derselbe mehr sein: Das Antlitz durchleuchtet, der Blick schweift fröhlich und kraftvoll aus in Nah und Fern, die Hände in den Taschen, der Schritt so leichthin – – – Ach unsere verwunderliche Seele, die oft des äußeren Einschubes gar nicht bedarf als Angel und Ecke, um darum zu wenden: nein, sie vermag's aus sich allein in wenigen Augenblicken, baut sich selbst die Ecke, pflanzt sich selbst Angel und Achse auf und kippt und schwingt drum herum und treibt es ganz ebenso wie das Ackerland draußen, das auch seine Miene spielend und ständig verändert: jetzt in Sonne erstrahlend, jetzt unter streichenden Wolkenschatten erblassend: aber was bedeuten diese Schatten, was können diese schon mehr sein als Schatten eben sind, zudem noch von so flüchtigen, vergehenden, vielfältigen Erscheinungen wie die Wolken. Sonne aber scheint uns nur eine, die bleibt machtvoll und stark hinter allem Gewölk und bricht durch, wenn ihre Zeit wieder gekommen ist.

INHALT

Die Titelerzählung ‚Unter schwarzen Sternen' wurde für Band 100 der ‚Bücher der Neunzehn' geschrieben, die Erzählung ‚Tod einer Dame im Sommer' für den Jubiläumsalmanach des Verlages C. H. Beck ‚Der Aquädukt', beide im Jahre 1963. Das Divertimento ‚Die Posaunen von Jericho' stammt aus dem Jahre 1951 und erschien erstmals in der Zeitschrift ‚Merkur', München (November 1955), dann als Einzelausgabe in der Arche-Bücherei, Zürich (1958). Der Ritter-Roman ‚Das letzte Abenteuer' ist im Jahre 1936 entstanden und 1953 in Reclam's Universal-Bibliothek aufgenommen worden. ‚Im brennenden Haus' (1931) ist eine Episode aus dem Manuskript der ‚Dämonen', die vom Autor in die Buchausgabe des großen Romans aus kompositorischen Gründen nicht mit aufgenommen wurde. Sie erschien erstmals in der ‚Botteghe oscure', Rom (Band XIX, 1957). Die ‚Sieben Variationen über ein Thema von Johann Peter Hebel' gehören zu der frühen Prosa des Autors; sie sind hier auf Grund der damaligen Niederschrift abgedruckt.